Stori Cymru

Hanesion a Baledi

Myrddin ap Dafydd   Lluniau: Dorry Spikes

Diolch

Ar wahân i ddarllen cyffredinol (a dylwn gyfeirio at gyfrolau gwych Darganfod Hanes Cymru Llyfrau 1–4 gan Robert M. Morris, Catrin Stevens a Geraint H. Jenkins wrth sôn am hynny), cefais gymorth arbennig gyda rhai o'r cerddi a hanesion unigol ac rwy'n ddiolchgar iawn iddynt:

Y Barcud Coch – cwmni Iwan Llwyd a chynllun Olwen Edwards, Llanfair-ym-Muallt
Ble mae Pengwern heno? – cyflwyniadau'r Athro Geraint Gruffydd a Thecwyn Ifan
Gruffudd yng ngharchar Caer – Ysgol Aberdaron
Gwenllïan – Ysgol Porth Tywyn
Moel y Don – Ysgol y Felinheli
Plant y Tywysogion – Ieuan Wyn, Bethesda
Mawl yr Hedydd – Marwnad yr Hedydd, Rod Barrar, Merêd a Nia Watcyn Powell
Carreg y Gwalch – Emrys Evans, Blaenau Ffestiniog a hen storïwyr Llanrwst
Hen Wraig a Wynn o Wydir – hen storïwyr Llanrwst ac Ysgol Ysbyty Ifan
Ynys y môr-leidr – Ysgol Trelewis
Près-gang ar Enlli – rhiw.com
Malu Murlun y Siartwyr – stori yn Golwg
Morwyn fach Castell y Penrhyn – gofalwr Cymraeg yn y stafell wely honno
Owen Bach y Dagrau – R. E. Jones, Llanrwst (brawd Owen)
Pump y bore yn Senghennydd – John Clogs, tafarnwr Llanllwni
Moto Ni – Geraint Jones ac Ysgol Trefor
Nadolig yn Ffrainc, 1914 – christmastruce.co.uk
Yr Ysgwrn – Gerald Williams
Yn rhengoedd y merched – Llyfr y Ganrif, gol. Gwyn Jenkins
Pysgotwyr Tirdyrys – Gareth Neigwl a Dyddiadur Griffith Thomas, 1933
Cân Lydia Hughes – Nic Reed, Rhydyclafdy (ei nai)
Twll dan stâr – shadowpoetry.com
Baled Llangyndeyrn – cyfrol Hywel Rees,
        Sefyll yn y Bwlch – Brwydr Llangyndeyrn 1960–1965
Ar y Miga-moga – adran dreftadaeth Nant Gwrtheyrn

Dymunaf hefyd gydnabod yn ddiolchgar imi dderbyn Ysgoloriaeth Awdur gan Lenyddiaeth Cymru yn 2013 i weithio ar y casgliad hwn.

Cyflwynedig i Alun Jones,
Llanpumsaint, Bow Street a Llanarmon
am ddeugain mlynedd o sgyrsiau
ynglŷn â'r pethau hyn

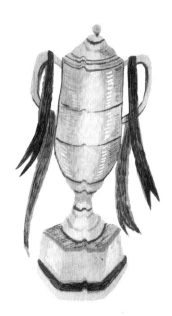

cynnwys

8

Gair ar y dechrau

Mae teithio Cymru wedi bod yn rhan o fy mywyd i erioed – crwydro'r wlad i weld perthnasau a ffrindiau, i fwynhau'r eisteddfodau cenedlaethol, i dreulio gwyliau neu i dynnu lluniau ar gyfer rhyw lyfr neu'i gilydd. Mae teithio'r wlad wedi bod yn rhan o fy ngwaith fel bardd hefyd, gan gynnwys ymweld â llawer o ysgolion ym mhob cwr o Gymru.

Ar y teithiau hynny, rydw i wedi cofio neu wedi clywed straeon. Yn eu tro, mae fy mhlant innau wedi dod i arfer gofyn y cwestiwn, pan fyddwn yn cyrraedd dyffryn neu ardal newydd inni, – 'Be' ydi stori'r lle'ma?'

Mae straeon yn cael eu hadrodd am nifer o resymau. Adloniant, i ddechrau arni. Yn sicr, mae mwynhau gwrando ar stori yn bwysig. Mae straeon hefyd yn dweud rhywbeth am gymeriadau hanesyddol ac yn dangos bod mwy i wlad na'r hyn mae'r llygad neu'r camera yn ei weld yn unig. Y gynulleidfa – mae honno'n bwysig hefyd. A hefyd yr amser iawn i adrodd y stori iawn.

Tydi gweithdy'r deintydd ddim yn hoff le gen i ar wyneb daear. Yn blentyn, roedden ni'n teithio o Lanrwst at ddeintydd yn Llandudno. Dyna hanner awr o hel meddyliau cyn mynd i eistedd yn y gadair fawr. Yn aml iawn, byddai

Dad yn adrodd straeon am Llywelyn a Glyndŵr ar y siwrnai honno gan orffen gyda'r llinell: 'Pan fydda i'n eistedd yng nghadair y deintydd, mi fydda i'n dychmygu Glyndŵr yn gafael mewn un fraich imi a Llywelyn yn gafael yn y llall.' Rydw i'n dal i feddwl am y llinell honno pan fydda i'n gorfod mynd at y deintydd heddiw!

Y tro diwethaf y gwelais i T. Llew Jones, roedd fy ngwraig a thri o'r plant gyda mi. Toc, dyma T. Llew yn dweud wrthyn ni oedolion mai gyda'r plant yr oedd am sgwrsio y diwrnod hwnnw. Dechreuodd adrodd stori am gi fferm wrthyn nhw. Cododd y ci o flaen y tân a mynd allan i'r buarth. Gwelodd y mochyn yn y twlc ac fe'i clywodd yn rhochian. Ceisiodd y ci rochian fel y mochyn. Aeth yn ei flaen at y beudy a gwrandawodd ar y gwartheg yn brefu. Ceisiodd frefu fel buwch. Pasiodd gwt yr ieir lle'r oedd un iâr yn clochdar yn uchel am ei bod newydd ddodwy. Ceisiodd y ci glochdar. Ar ei ffordd yn ôl ar draws y buarth, gwelodd y ffermwr yn dod allan o'r tŷ. Ceisiodd y ci ennill ei ffafr drwy ddangos ei ddoniau newydd drwy ddynwared y rhochian a'r brefu a'r clochdar. 'Beth sy'n bod arnat ti?' gofynnodd y ffermwr. 'Dwyt ti'n dda i ddim i mi os nad wyt ti'n medru cyfarth fel ci. Dos o'r ffordd, y ci gwirion!' A dyna'r stori a adawodd T. Llew gyda'r plant.

Ar ddechrau gemau'r Chwe Gwlad yn 2005, rhoddodd hyfforddwr tîm rygbi Cymru ar y pryd

– Mike Ruddock – ffeil fawr ddu i bob aelod o'r sgwad ar ôl sesiwn ymarfer. 'Dwi am i bob un ohonoch chi ddarllen cynnwys hon'na,' meddai. Na, nid tactegau rygbi oedd yn y ffeil fawr ddu – ond casgliad o straeon o hanes Cymru. Y tymor hwnnw, trechodd y garfan honno bob gwlad arall a chipio'r Gamp Lawn gyntaf i Gymru ers 27 o flynyddoedd.

Po fwyaf yn y byd o'n straeon ein hunain sydd gennym, mwyaf yn y byd y byddwn yn adnabod ein gwlad a'i phobl. Byddwn hefyd wedi'n paratoi ein hunain ar gyfer delio gyda'r hyn sy'n codi heddiw ac yn medru gweld yn gliriach lle'r ydym am ei gyrraedd yfory. Mae gwybod ein hanes yn rhoi'r grym pelydr-X inni fedru gweld yr esgyrn sychion drwy gnawd meddal yr hyn sydd yn y newyddion heddiw. Byddwn yn deall problemau heddiw yn well – ond yn bwysicach na hynny, byddwn yn gwybod lle mae'r atebion iddynt i'w canfod.

Mae sawl ffordd o gyflwyno stori. Rwy'n cofio mynd i weld Cwm Celyn cyn bod yr argae ar draws afon Tryweryn wedi'i gwblhau – rwy'n cofio gweld y peiriannau mawr melyn yn cerfio'r cwm, yn chwalu hen ffermdai a chodi coed o'u gwreiddiau. Mae'r lluniau wedi aros yn fy nghof. Mae'r lluniau'n dal i adrodd y stori wrthyf.

Yn y blynyddoedd cynnar yn yr ysgol, roeddwn i'n plagio'r athrawes am stori o un

gyfrol arbennig o hyd ac o hyd. Llyfr clawr coch o'r enw *Ein Hen, Hen Hanes* oedd hwnnw – ac rwyf yn gallu clywed ei llais yn darllen penodau am Garadog a Gruffudd ap Cynan o hyd.

Pan fydda i'n mynd o gwmpas ysgolion Cymru, yn aml iawn byddaf wedi bod yn chwilio am stori yn yr ardal honno ac yna yn ei hadrodd wrth y dosbarth ar ddechrau'r sesiwn. Wedi clywed y stori, byddwn yn mynd ati wedyn i gyfansoddi baled neu gerdd sy'n codi o'r hanesyn. Pan fyddan nhw'n gwneud copi o'r geiriau hynny, yn aml byddant yn tynnu lluniau elfen o'r stori i gyd-fynd â'r penillion.

Rhywbeth felly sy'n digwydd yn y llyfr hwn. Dros y blynyddoedd, rydw i wedi clywed ac wedi casglu straeon. Wrth eu cyflwyno i chi, rwyf wedi creu cerddi hefyd. Mae'r arlunydd Dorry Spikes wedi creu lluniau i gyd-fynd â'r straeon a'r cerddi. Efallai y bydd rhai o'r cerddi hyn yn cael eu canu cyn hir – oes, mae mwy nag un ffordd o gyflwyno stori. Ond yr un ydi'r bwriad bob tro – rhoi mwynhad i chi, a rhoi nerth i chi.

Myrddin ap Dafydd

Y Barcud Coch

Os oes aderyn y gallwn ei alw'n 'aderyn Cymreig', mae'n siŵr mai'r barcud coch yw hwnnw. Mae'n nythu yn y coed derw hynafol ac mae i'w weld uwch morfa a ffridd, uwch caeau amaethyddol a gwylltiroedd ym mhob cwr o Gymru. Mae'r fforch yn ei gynffon yn ei wneud yn aderyn hawdd ei adnabod.

'Barcud!' Mae honno'n waedd gyffredin pan fydd rhywun yn ei weld ac yn pwyntio ato. Bydd cyffro a rhyfeddod yn y llais bob amser. Ac mae rheswm da dros hynny.

Bu'r barcud coch o fewn dim i ddiflannu o'n gwlad. Câi ei erlyn gan giperiaid, cesglid ei wyau prin ac ar un adeg yn ystod y ganrif ddiwethaf dim ond un iâr oedd ar ôl yng nghanolbarth Cymru. Ond daeth ffermwyr, pobl leol a chymdeithasau adar i'r bwlch gan warchod y nythod yn benderfynol. Yn raddol, cynyddodd eu niferoedd gan ymestyn eu tiriogaeth drwy Gymru unwaith eto.

Yn fwy na'r un aderyn arall, mae'r barcud coch yn ysbrydoliaeth i'r ddawn o oroesi yng Nghymru. Daeth yn un o symbolau parhad y genedl.

Gwlad y Barcud Coch

Lle mae golau hen, hen oesoedd
Yn y bore ar fynyddoedd,
Lle mae esgyrn eirth a bleiddiaid,
Olion llwybrau ein hynafiaid,
    Y mae gwlad y barcud coch.

Lle mae'r haul ar feini hirion
Yn creu bysedd o'u cysgodion,
Lle mae pwysau'r cof mewn cromlech,
Cadw'r cylch yn werth yr ymdrech,
    Y mae gwlad y barcud coch.

Lle mae'r derw yn gynhenid
Wrth greu tarian o'u cadernid,
Lle mae gordd a chŷn yn fiwsig
Wrth gau bylchau'r waliau cerrig,
    Y mae gwlad y barcud coch.

Lle mae'r cymoedd cul yn fforchi,
Lle mae lliw uwch ein haceri,
Lle mae yn yr awyr lydan
Blu yn crynu yn eu hunfan,
    Y mae gwlad y barcud coch.

Gwlad a gollodd lawr ei chymoedd,
Gwlad a gwenwyn yn ei gwyntoedd,
Ond mae plant yr hen freuddwydion
Eto'n dechrau cyfri'r cywion.
    Dyma wlad y barcud coch.

Cromlechi

Ar hyd a lled Cymru mae olion hen gladdfeydd sy'n cael eu galw yn 'gromlechi'. Yr hyn a welir erbyn hyn yw maen copa a phedwar neu bum maen hir yn sefyll yn dal ei bwysau anferthol. Byddai cyrff yn cael eu claddu yn y gromlech a'r cyfan yn cael ei orchuddio â phridd a cherrig.

Dros y blynyddoedd, diflannodd llawer o'r tyrrau pridd gan adael y sgerbwd cerrig. Mae enwau diddorol ar rai o'r rhain – Cromlech Pentre Ifan, Cromlech Maen y Bardd a Charreg Samson. Ar rostir ym mhenrhyn Gŵyr, Morgannwg mae cromlech a maen copa anferthol arni – mae'r maen sy'n ffurfio to'r gromlech yn pwyso dros bum tunnell ar hugain! Sut y llwyddodd yr hen bobl, dros bedair neu bum mil o flynyddoedd yn ôl, i symud y fath bwysau?

Mae stori y tu ôl i enw'r gromlech hon. Yr enw? – Maen Arthur. A'r stori? Roedd y Brenin Arthur yn marchogaeth yn sir Gaerfyrddin a sylwodd fod ei geffyl yn gloff. Daeth oddi ar gefn y ceffyl i roi sylw i'r carn clwyfus a sylwodd ar garreg fechan o dan y bedol. Rhyddhaodd y garreg a'i thaflu'n ddi-hid dros ei ysgwydd. Cyrhaeddodd honno Fro Gŵyr – a dyna faen copa cromlech Maen Arthur! Dyna ichi gawr oedd ein Arthur ni!

Maen Arthur

Mae cromlech Maen Arthur yn anferth –
Ar fryn ym Mro Gŵyr y mae hon,
Ceir pedwar o feini otani
A'r copa yw carreg fawr, gron.

Roedd Arthur, yn ôl yr hen chwedl,
Yn ardal Llandeilo un tro
Yn marchog ei geffyl gwyn gorau,
Ymweld â hen ffrind yn y fro.

Aeth carreg i'r byw dan y bedol
A chariai ei garn braidd yn wan
Ond Arthur a neidiodd o'i gyfrwy
I leddfu ei boen yn y fan.

Mi welodd y gronyn a'i dynnu
A'i daflu dros ysgwydd i ffwrdd;
Ehedodd draw, draw i Forgannwg
A disgyn ar feini, fel bwrdd.

Pum tunnell ar hugain yw pwysau
Y maen ar y gromlech ar fryn;
Sut fath o arweinydd oedd hwnnw
A daflai'r fath gerrig â hyn?

Roedd Finn yn ddyn cryf yn Iwerddon,
Hok-Braz oedd yn Llydaw yn gawr,
I'r Cymry, y brenin oedd Arthur:
*– Ac wir, yr oedd Arthur **yn** fawr!*

Meini Hirion

Ym Môn, fel mewn llawer o fannau yng Nghymru, mae nifer o gerrig tal yn sefyll yn unionsyth yn y ddaear. Y rhain yw'r 'meini hirion' a chawsant eu gosod filoedd o flynyddoedd yn ôl. Efallai mai mynegbyst – yn dangos y ffordd i rywle – ydi rhai ohonynt. Mae'n bosib mai cerrig beddau ydi rhai eraill. Ac mae rhai yn credu y gall cysgodion rhai ohonynt greu rhyw fath o galendr ar y ddaear.

Does neb yn siŵr iawn beth yn union oedd eu diben erbyn hyn. Maent yn perthyn i gyfnod cynhanes – cyn bod neb wedi ysgrifennu ar femrwn nac ar bapur. Lle nad oes dim wedi'i gofnodi, mae hwnnw'n dir ffrwythlon iawn i straeon a chwedlau wreiddio ynddo. A dyna'n union sydd wedi digwydd i rai o'r meini hirion hyn.

Yn Llandyfrydog yng nghanol Ynys Môn, mae maen ychydig yn wahanol yn sefyll yng nghysgod clawdd mewn cae. Mae lwmp mawr ar ben y maen hwnnw.

Rhyw dro dychmygodd rhywun fod y maen yn debyg i ddyn crwm yn cario sach ar ei gefn. Tyfodd y stori wedyn. Roedd y dyn yn lleidr ac roedd yn llygadu'r Beibl Mawr yn eglwys Llandyfrydog. Credai y gallai gael tipyn o arian amdano pe bai'n llwyddo i'w ddwyn. Aeth am yr eglwys un noson ond roedd hi'n noson loergan.

'Dyna hen dro,' meddai. 'Mae peryg i rywun fy adnabod pe bawn i'n cerdded o'r eglwys yng ngolau'r lleuad a'r Beibl Mawr mewn sach ar fy nghefn.'

Ar hynny, daeth cwmwl dros y lleuad. Roedd y wlad yn dywyll a gwelodd y lleidr ei gyfle. Aeth i'r eglwys, rhoi'r Beibl mewn sach a'i

gario allan ar ei gefn. Pan oedd yn sleifio drwy gae cyfagos, gan gadw'n agos at y clawdd, aeth y cwmwl oddi ar wyneb y lleuad.

Daliwyd y lleidr gan olau gwyn y lleuad, a throdd y dyn, y sach a'r Beibl Mawr yn garreg yn y fan a'r lle. Enw'r maen yw Carreg Leidr ac yn ôl y sôn, bob noswyl Nadolig bydd Carreg Leidr yn neidio allan o'r ddaear ac yn rhedeg deirgwaith o amgylch y cae!

Carreg Leidr

Yn y tywyllwch, mae breuddwyd gyfoethog;
Yn y tywyllwch, mor ddistaw yw'r llan;
Yn y tywyllwch, mae'r dwylo yn flewog;
Yn y tywyllwch, mae'r ysbryd yn wan.

Lleuad yn arian dros gaeau ac eglwys;
Lleuad yn arian a chwsg popeth byw;
Lleuad yn arian a'r llwybr yn llydan;
Lleuad yn arian ac arian yn dduw.

Llaw ar y Beibl, ac adrodd adnodau;
Llaw ar y Beibl gan sibrwd rhyw swyn;
Llaw ar y Beibl a llawn ydi'r boced;
Llaw ar y Beibl, mor hawdd yw ei ddwyn.

Sach ar fy nghefn a rhedeg drwy'r fynwent;
Sach ar fy nghefn a neidio dros ffos;
Sach ar fy nghefn a'r lleuad yn taro;
Sach ar fy nghefn a thrwm ydi'r nos.

Pwysau fel carchar ar war ac ar ysgwydd;
Pwysau fel carchar ar draed wrth y clawdd;
Mae'r lleidr yn garreg a thra bo hi'n sefyll
Fydd rhedeg a neidio fyth eto mor hawdd.

Y Brythoniaid

Pan ddaeth y Rhufeiniaid i Gymru, aeth eu haneswyr ati i gofnodi peth o hanes y Brythoniaid – ein hen deidiau ninnau. Roeddent, yn ôl y llyfrau Lladin, yn pysgota'r afonydd gan ddefnyddio cychod bach ysgafn, crynion wedi'u plethu o wiail a chyda chôt o groen trostynt. Os ewch i Genarth ar afon Teifi neu Gaerfyrddin ar afon Tywi, cewch weld y cychod bach yma – sef y cwryglau – yn cael eu defnyddio o hyd. Mae hanes ein pobl ni wedi'i blethu'n dynn wrth hanes y wlad rydym yn byw ynddi.

Cwrwgl ar yr afon

Rwy'n dod ar gwrwgl tawel i lawr yr afon ddu
Drwy luniau'r pyllau llonydd, drwy niwl yr oes a fu;
Tinc telyn yn yr helyg sy'n plygu uwch y dŵr
A chreigiau glas o boptu yn gastell ac yn dŵr.

Mae fforch y barcud coch lle mae'r lli yn hollti'n grych,
Mae mwng y merlyn mynydd odanaf yn y drych,
Mae cyfarth corgi'r bompren yn cadw'r moch o'r ŷd
A dawns y cob Cymreig yw croesi'r cerrig rhyd.

Mor ysgafn ydi'r daith, dim ond iaith y dŵr ei hun
Yn adrodd, wrth fy ngharo, yr hanes cyntaf un
Am ddyn yn cyrraedd afon, rhoi'r enw ar ei lli,
Gwneud tân dan goed ei dôl a rhoi'r cwrwgl arni hi.

Y Brythoniaid a'r Rhufeiniaid

Cangen o lwythau Celtaidd yn byw i'r de o Ucheldiroedd yr Alban ac yn siarad Brythoneg yng nghyfnod y Rhufeiniaid oedd y Brythoniaid. O'r Frythoneg y tarddodd yr ieithoedd Cymraeg, Cernyweg a Llydaweg.

Brython oedd Buddug. Roedd yn wraig i bennaeth llwyth yr Iceni yn nwyrain Lloegr ac yn y flwyddyn 61 Oed Crist, bu farw'r pennaeth. Nid oedd ganddynt fab ond dan gyfraith y Brythoniaid, byddai gwraig y pennaeth – sef Buddug – a'i merched yn arwain y llwyth mewn achos o'r fath. Roedd hi'n arferol yn niwylliant y Celtiaid bod merched yn arwain byddinoedd yn ogystal. Nid dyna sut y gwelai'r Rhufeiniaid bethau – dyma nhw'n ymosod ar ganolfan y llwyth, yn chwipio Buddug, yn camdrin y merched ac yn meddiannu gwlad yr Iceni.

Casglodd Buddug a'i merched lwyth yr Iceni ynghyd, a'u cymdogion – y Trinovantes – a llosgi dinas y Rhufeiniaid yng Nghaer Colun (*Colchester*). Gyrrwyd lleng o filwyr Rhufeinig yn eu herbyn a chafodd y Brythoniaid fuddugoliaeth wych yn y frwydr honno hefyd. Aeth y Brythoniaid ymlaen i losgi a difa dau goloni Rhufeinig arall yn Llundain a St Alban's cyn cael eu trechu ym Mrwydr Stryd Watling.

Ar lan afon Tafwys yn Llundain, dros y ffordd i Dŷ'r Cyffredin, mae cerflun trawiadol o ryfelwraig â phicell mewn un llaw a ffrwynau dau farch yn y llall – dau farch sy'n tynnu ei cherbyd rhyfel i frwydr. Gyda hi yn y cerbyd mae dwy ferch ifanc.

Cerflun i gofio am Buddug a'i merched yw hwn.

Araith Buddug

Rhaid i ni, yn nhir y Brython,
Fod yn llawer mwy na dynion.
Nid y saethau yn dy gawell,
Nid bôn braich a chledd a phicell,
Nid yw'n ddigon tân casineb
Na dialedd carreg ateb
Ac mae angen mwy na geiriau
Fydd yn swnio'n dda wrth ddadlau.
Rhaid i'r ofn o golli enw
Fod yn drech nag ofni marw.
Rhaid i'r nerth i wrthod plygu
Lifo'n hwy na'r clwyf sy'n gwaedu.
Rhaid i'r haearn yn y galon
Aros, er ein bod ni'n gaethion.
Rhaid i ni, yn nhir y Brython,
Fod yn llawer mwy na dynion.
Mae'r eryrod a'u crafangau
Heddiw'n hofran uwch ein herwau.
Maen nhw'n gweld mai'n hunig bwrpas
Ydi bwydo eu prifddinas.

Maen nhw'n dwyn a hawlio'r cyfan,
Mynd â'n gwlad ar hyd ffyrdd llydan.
Codwn ninnau i'w hwynebau
Fel bydd march yn codi'i garnau.
Codwn at eu gwg lladronllyd
Fel bydd merch yn codi'i hysbryd.
Codwn, fil ar fil o bennau,
Fel bydd môr yn codi'i donnau.
Rhaid i ni, yn nhir y Brython,
Fod yn llawer mwy na dynion.

Caradog

Bu Caradog yn ymladdwr dewr yn erbyn y Rhufeiniaid pan ddaethant i feddiannu tir y Brythoniaid ddwy fil o flynyddoedd yn ôl. Collodd sawl brwydr, ond ni fyddai byth yn torri'i galon – aeth o lwyth i lwyth yn codi byddinoedd a rhoi gobaith i'w bobl. Brwydrodd yn galed ym mynyddoedd Cymru yn arwain y Brythoniaid lleol. Ond yn y diwedd, roedd byddinoedd Rhufain yn rhy niferus a rhy drefnus a daliwyd Caradog.

Penderfynwyd mynd ag ef a'i deulu bob cam i Rufain er mwyn ei arddangos gerbron y dyrfa yno – a dangos bod hwn, yr arweinydd gwrol, wedi'i drechu gan fyddin Cesar yn y diwedd. Aed â Charadog a'i deulu mewn cadwynau drwy'r strydoedd ac yna at orsedd Cesar. Gorchmynnwyd iddynt ymgrymu ger bron yr ymerawdwr, ond safodd Caradog yn gefnsyth gan ddweud ei fod yntau yn frenin ac nad oedd yn plygu o flaen yr un dyn. Parchwyd dewrder Caradog gan Gesar a'r Rhufeiniaid – ni chafodd ei ladd, ond ni chafodd ddychwelyd i dir y Brythoniaid chwaith.

Hon oedd fy hoff stori pan oeddwn yn Ysgol y Babanod yn Llanrwst. Mae'n stori am yr ewyllys i ddal ati – er colli un frwydr, mae'n rhaid credu nad ydym wedi ein gorchfygu yn llwyr.

Caradog o flaen Cesar

Rwyt ti'n gyfoethog, Cesar, perlau drud
I dalu'r fyddin o bellteroedd byd.

Rwyt ti'n ddiogel, Cesar, haearn Sbaen
A phob un cleddyf wedi'i wneud â graen.

Rwyt ti'n boblogaidd, Cesar, tyrfa dew
Yn galw arnat, moli dy gampau glew.

Rwyt ti'n bwerus, Cesar, curiad traed
Dy filwyr lle mae angen tywallt gwaed.

Rwyt ti'n ysblennydd, ar orsedd duw
A dim ond blaen dy fawd rhwng marw a byw.

Finnau'n garcharor, Cesar, draw o wlad
Y geifr a'r ceirch a chytiau crwn fy nhad.
Ni fedrai clogwyn serth na chaer na saeth
Atal dy benderfyniad dur pan ddaeth.
Rhois fy ffydd yn ffyrdd y mynydd du
Ond roedd dy rengoedd dithau yn rhy gry'.
Ti piau'r coed a'r graig, pob dyffryn mwyn –
Mae'r cyfan fu gen innau wedi'i ddwyn.

Rwyt ti'n llwyddiannus, Cesar, colli'r dydd
Fy hanes innau. Ond nid cadach sydd
Mewn cadwyn ger dy fron – nid pen y daith
Yw hyn i'r bobl o'r un wlad ac iaith.

Rwy'n gwrthod plygu, Cesar, a chei di
Wneud fel mynnot wedyn gyda mi:

Ond mae 'na ysbryd na all byddin fawr
Ei dorri a'i orfodi i lyfu'r llawr.

Ffordd, Caer, Marchnad

Yn ein dyddiau ni, mae traffordd brysur yr M4 yn arwain o bontydd afon Hafren drwy hen daleithiau Gwent a Morgannwg ac ymlaen tua'r gorllewin. Gant a hanner o flynyddoedd cyn hynny, gosodwyd rheilffordd i gysylltu'r un trefi a dinasoedd fwy neu lai. Cyn hynny wedyn, roedd ffyrdd y porthmyn a ffyrdd y Normaniaid wrth iddynt ddod â byddinoedd i ymosod ar ein tiroedd. Ond y rhai cyntaf i greu ffyrdd i gyrraedd Cymru o'r dwyrain oedd y Rhufeiniaid.

Tir llwyth y Silwriaid oedd Gwent a Morgannwg yng nghyfnod y Rhufeiniaid. Cafodd y Brythoniaid hyn eu disgrifio fel pobl bryd tywyll, ffyrnig a phenderfynol. Roeddent yn filwyr effeithiol ac yn gadarn dros warchod eu tiroedd rhag iddynt syrthio dan reolaeth y Rhufeiniaid. Am ddeng mlynedd ar hugain rhwng 43 OC a 75 OC, llwyddodd y Silwriaid i atal nerth Rhufain yn ne-ddwyrain Cymru drwy gyfres hir o frwydrau gwaedlyd a chaled.

Yn y diwedd, cafodd y Rhufeiniaid y llaw uchaf – ond dim ond drwy anfon miloedd o filwyr i'r ardal i drechu'r Silwriaid. Er mwyn cadw gafael ar y tiroedd, cododd y Rhufeiniaid gaer anferth yng Nghaerllion ar lan afon Wysg.

Daeth hon yn gartref i hyd at 5,500 o filwyr tan tua'r flwyddyn 483. Roedd yn un o brif geyrydd y Rhufeiniaid ym Mhrydain ac roedd ffyrdd yn ei chysylltu â sawl caer lai tua'r gogledd a'r dwyrain, ac ar lan pob afon ar draws de Cymru – Taf, Ebwy, Nedd, Tawe, Llwchwr, Tywi.

Ar y ffordd i'r dwyrain o Gaerllion, cododd y Rhufeiniaid dref farchnad ar safle 44 acer yng Nghaer-went. Dyma'r dref fasnachol fwyaf yng Nghymru a dyma'r olion Rhufeinig sydd wedi'u cadw orau drwy wledydd Prydain. Mae'r waliau o gwmpas y dref yn gyflawn, er eu bod wedi dadfeilio. Gallwn gerdded o gwmpas y waliau a'r dref heddiw a rhyfeddu at y muriau a'r tyrau Rhufeinig ac olion teml, baddondai, marchnad, plastai a siopau. Mae Caer-went yn hanesyddol – nid oedd trefi yng Nghymru cyn cyfnod y Rhufeiniaid.

Mae patrwm y Rhufeiniaid wedi'i ailadrodd gan lawer o ymosodwyr dros y canrifoedd – ffyrdd yn cludo byddinoedd i Gymru, adeiladu ceyrydd a chestyll milwrol ac yna creu marchnadoedd i reoli'r economi leol.

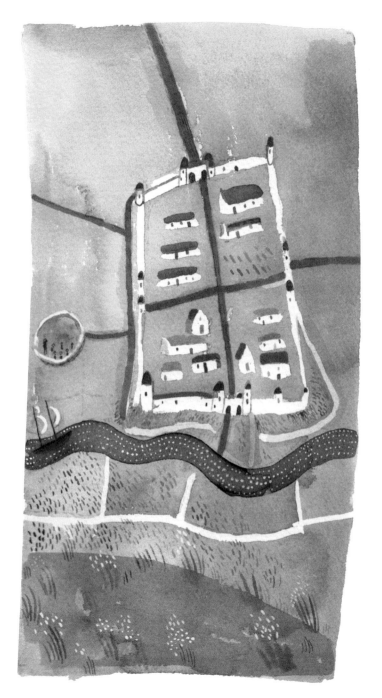

Caer-went

Ffordd dawel sy'n mynd yno heddiw
Rhwng caeau llonydd a than y coed,
Ceir glân yn y maes parcio:
Mae amser ar ein dwylo
I chwilio am olion y dref ddwyfil oed.

Awn â'r ci am dro o gylch y muriau
A chroesi'r gamfa wrth ochr y tŵr;
Yma roedd marchnad unwaith,
Nwyddau a bwyd i'r dalaith
Am bres o bocedi'r Silwriaid, mae'n siŵr.

Craffwn ar blaciau'n ail-greu yr hanes,
Camwn dros faddonau a thai;
Mae Lladin ar hen feini
Mewn eglwys, ac arfau seiri
Rhwng darnau o deils a chawgiau clai.

Ar dawelwch y dyffryn rhyfedd
Troi cefn, a dychwelyd i'n byd,
Gyrru'n ôl i'r M Pedwar,
Pasio artíc a thancar:
Olwynion ar wib i'r gorllewin o hyd.

Oes y Seintiau

Bu'r chweched ganrif yng Nghymru yn gyfnod o sefydlu eglwysi, ceisio heddwch a chofio am bethau gorau bywyd. Hon oedd Oes y Seintiau. Rhoddwyd sylw i bregethu, adrodd geiriau Crist a byw'n syml – darllen, ysgrifennu, trin y tir a gweddïo.

Beuno, Illtud, Teilo, Dewi – dyna enwau rhai o'r seintiau. Ydi'r enwau'n gyfarwydd ichi? Edrychwch ar fap o Gymru ac yn fuan iawn rydych yn siŵr o ddod ar draws enwau lleoedd sy'n cynnwys enwau'r seintiau hyn. A beth am y 'llan' a ddaw o flaen enw'r sant yn aml?

Byddai'r seintiau yn sefydlu eglwys fechan mewn lleoedd unig ar eu llwybrau. Byddai eu dilynwyr yn creu pentref o gwmpas yr eglwys – a dyna'r llan. Câi'r llan ei enwi ar ôl y sant a'i sefydlodd. Mae dros 430 o leoedd yn dechrau gyda'r sillaf 'Llan' yng Nghymru.

Dyna ichi lawer o seintiau! Nid Cymru piau pob un o'r seintiau hyn chwaith. Roedd rhai yn dod yma mewn cychod bychain o bren a chrwyn o Lydaw, Cernyw ac Iwerddon. Dyma oes y seintiau Celtaidd a chyfnod crtoesau Celtaidd ar feini mawr sy'n dangos crefft addurno gywrain iawn. Ond er eu bod yn ddynion – a merched hefyd – duwiol, roeddent yn anturus a dewr ac mae straeon rhyfeddol am ysbryd penderfynol rhai ohonynt.

Llan ymhob man

Llanbadarn Fawr, Llanbadarn Fynydd,
Llanddewi'r Cwm, Llan-gain, Llanefydd,
Llanfihangel Genau'r Glyn, Llanbedrog,
Llangernyw, Llanddwyn a Llangrannog,

    O'r traeth i'r cwm: pob lle, pob man,
    Mae'r llwybrau i gyd yn mynd i'r llan.

Llanfihangel Rhos-y-corn, Llansannan
A Llanfair Nant-y-gof, Llanrian,
Llantrisant a Llanrug, Llanuwchllyn,
Llandrindod, Llan San Siôr, Llanwddyn,

Llandudno, Llannor a Llanelli,
Llangurig, Llangwm a Llangybi,
Llanddaniel-fab, Llan-rhos, Llanfabon,
Llanbryn-mair a Llangwyryfon,

Llandŵ, Llangatwg, Llanybydder
A Llangristiolus a Llangywer,
Llanrwst, Llan-wern a Llanymawddwy,
Llanwrtyd, Llansanffraid Glyndyfrdwy,

Llangefni, Llan-ffwyst Fawr, Llangeitho,
Llangwnnadl, Llannarth a Llandeilo,
Llanilltud Faerdref a Llanfigel,
Llanllŷr, Llangatwg Feibion Afel,

Llandysul, Llanfihangel Ystrad,
Llanddoged, Llandyfân, Llanddingad,
Llanddewibrefi, Llanddeiniolen,
Llandyrnog, Llan-y-cefn, Llangollen,

    O'r traeth i'r cwm: pob lle, pob man,
    Mae'r llwybrau i gyd yn mynd i'r llan.

Dewi Sant

Yng Nglyn Rhosyn, mewn pant tawel o dan strydoedd Tyddewi, yr adeiladwyd yr Eglwys Gadeiriol. Yno hefyd yr oedd hafan Dewi Sant a'i fynachlog syml, ar lan afon fechan a'r tyfiant deiliog ar bob llaw. Roedd dŵr a ffynhonnau yn

sanctaidd i'r hen Geltiaid ac yn bwysig iawn i seintiau'r Eglwys Geltaidd hefyd.

Roedd y seintiau yn creu meddyginiaethau o berlysiau. Byddai pobl yn teithio o bell i wrando ar Dewi yn pregethu, ac i dderbyn gwellhad. Mae enwau'r seintiau, a'r Forwyn Fair yn arbennig, ar lawer o flodau a llysiau yn y Gymraeg. Rhosynnau gwynion ar arfordir Penfro yw 'rhosynnau Dewi', er enghraifft.

Weithiau, byddai pobl ar ffo yn gofyn am loches gan y seintiau. Mae hen ffos a chlawdd pridd ar draws Penrhyn Dewi. Yn ôl traddodiad, wrth groesi honno – Ffos y Mynach – nid oedd gan neb hawl i niweidio ffoadur oherwydd fod nawdd Dewi Sant drosto erbyn hynny.

Glyn Rhosyn

Rhwng llysiau'r mêl a rhedyn Mair
Y daw'r hen lwybrau i Lyn Rhosyn;
Mae ôl sandalau yn y gwair
Rhwng llysiau'r mêl a rhedyn Mair,
Ôl traed a ddôi at garn, at grair
I brofi'r byd tu hwnt i'r penrhyn;
Rhwng llysiau'r mêl a rhedyn Mair
Y daw'r hen lwybrau i Lyn Rhosyn.

Mae yno ddŵr tu draw i'r yw
Sy'n golchi'r byw o'u llwch a'u lludw;
Er bod y môr yn trochi'r clyw,
Mae yno ddŵr tu draw i'r yw
Sy'n agor eto'r llygaid gwyw
I weld y ffynnon uwch y llanw;
Mae yno ddŵr tu draw i'r yw
Sy'n golchi'r byw o'u llwch a'u lludw.

O na chawn innau ddod i'r glyn
Tu hwnt, tu draw i Ffos y Mynach;
Pan gwymp y tir i'r tonnau hyn,
O na chawn innau ddod i'r glyn
A chael rhosynnau Dewi'n wyn
Heb weld y creigiau duon mwyach;
O na chawn innau ddod i'r glyn
Tu hwnt, tu draw i Ffos y Mynach.

Cymru a'r Cymry

Bu llawer o ryfela hefyd yng Nghymru ar ôl i'r Rhufeiniaid adael y wlad, wrth i'r hen Gymry geisio amddiffyn eu tiroedd yn erbyn ymosodwyr o'r dwyrain a'r gorllewin. Mae pob plentyn yng Nghymru yn gorfod dysgu un ffaith bwysig wrth sillafu yn y Gymraeg – a honno yw mai Cymru gydag *u* ydi'r wlad ac mai Cymry gydag *y* yw'r bobl sy'n byw yn y wlad honno. Ond yn y bôn, yr un gair ydi'r ddau – a does dim un wlad arall yn y byd lle ceir yr un enw ar y tir a'r bobl sy'n byw yn y tir hwnnw.

Daw'r lluosog 'Cymry' o'r enw 'Cymro', sef 'person yn rhannu'r un fro'. Mae hanes i enwau a dechreuodd yr hen bobl ddefnyddio'r gair 'Cymru' amdanynt eu hunain a'u gwlad yn y chweched ganrif. Mae'n enw croesawus a heddychlon – pobl yn cyd-fyw yw ei ystyr. Roedd y Rhufeiniaid wedi gadael ynysoedd Prydain ers y flwyddyn 410 a doedd yr hen Gymry ddim wedi arfer amddiffyn eu hunain. Pan ddaeth lluoedd o bobl ddieithr dros y moroedd o sawl cyfeiriad i ysbïo sut le oedd yn yr ynysoedd hyn, cawsant groeso i ddechrau, ond nid oedd y Cymry'n eu hadnabod bryd hynny. O'r Almaen a gwledydd gogledd orllewin Ewrop y daeth amryw o'r rhain – y Saeson oeddynt, ac ymhen amser daeth yn amlwg eu bod yn elynion peryglus.

Enw'r Saeson ar y Cymry yw *Welsh*. Ystyr hynny mewn hen Sacsoneg yw 'pobl estron, pobl wahanol'. Dyna arwydd o'u hyfdra! Daethant draw i dir yr hen Gymry a'n galw ni yn bobl estron yn ein gwlad ein hunain. Daw'r enw 'Sacson', gyda llaw, o'r gair *saex*, sef cyllell fain, hir, finiog. Cyllyll o'r fath oedd hoff arfau'r Sacsoniaid.

Brenin ynys Prydain yn y cyfnod hwn oedd Gwrtheyrn – brenin anhapus iawn a wnaeth gamgymeriad difrifol. Cyn ffoi i Eryri ac i Nant Gwrtheyrn, roedd ganddo gastell a phrifddinas yn ne-ddwyrain Lloegr ond roedd ei diroedd yn cael eu bygwth gan y Pictiaid, pobl ymladdgar o'r Alban. Yr hyn a wnaeth Gwrtheyrn oedd dod i drefniant gyda dau frawd oedd yn fôr-ladron – Hengist a Hors. Sacsoniaid ymladdgar o ogledd yr Almaen oedden nhw, a chyda'u cymorth, llwyddodd Gwrtheyrn a'i filwyr i drechu'r Pictiaid. I ddiolch i'r môr-ladron digartref hyn, rhoddodd Gwrtheyrn dir ar Ynys Taned yng Nghaint yn ne-ddwyrain Lloegr iddynt. Ond unwaith y cawsant ychydig o dir o dan eu traed, roedd y Sacsoniaid yn farus am fwy a mwy o'r wlad.

Yn fuan, aeth yn fater o ryfela rhwng Sacsoniaid Hengist a Hors a byddinoedd Gwrtheyrn. Lladdwyd Hors ond cyrhaeddodd mwy a mwy o Sacsoniaid o'r Almaen gan gipio mwy a mwy o dir. Roedd gan Hengist ferch hardd o'r enw Rhonwen ac roedd Gwrtheyrn wedi gwirioni arni. Cytunodd Hengist i roi ei ferch yn wraig i Gwrtheyrn ar yr amod fod y Sacsoniaid yn cael teyrnas Caint i gyd iddyn nhw'u hunain – a chytunodd Gwrtheyrn â'r fargen.

Ond roedd y Sacsoniaid yn parhau i frwydro am ragor o dir. Wedi blynyddoedd o ryfeloedd, gwnaeth Hengist fargen arall gyda Gwrtheyrn. I ddathlu'r heddwch newydd rhwng yr hen Gymry a'r Sacsoniaid, trefnodd Hengist wledd Galan Mai anferth ar wastadeddau Caersallog, (*Salisbury*)lle gwelir Côr y Cewri.

Fel y dywedir mewn hen lyfr ar hanes y Cymry, er bod y Sacsoniaid yn siarad yn gyfeillgar, roedden nhw'n meddwl fel bleiddiaid. Gorchmynnodd Hengist i bob Sacson guddio cyllell finiog a phan fyddai ef yn gweiddi yng nghoes ei hosan, 'Hei, tynnwch eich *saxas*!' roedd am iddynt estyn am y gyllell a lladd y Cymro agosaf atynt.

Ac felly y bu. Cyrhaeddodd tri chant o arweinwyr yr hen Gymry ac eistedd wrth y byrddau bob yn ail â thri chant o filwyr y Sacsoniaid. I bob golwg, roedd pawb yn ddi-arf – yn ôl y cytundeb. Dechreuwyd bwyta ac yfed a bod yn llawen ond yna gwaeddodd Hengist, 'Hei, tynnwch eich *saxas*!'

Tynnodd y Sacsoniaid eu cyllyll ac ymosod ar y Cymry a dechreuodd y llofruddio. Roedd Hengist wedi gorchymyn bod Gwrtheyrn i'w ddal yn hytrach na'i ladd, er mwyn iddo brynu ei ryddid a chyfoethogi mwy fyth ar y Sacsoniaid. Dim ond un Cymro arall a ddaeth o'r wledd yn fyw, sef Eidol o Gaerloyw a lwyddodd i gael gafael ar bastwn a lladd nifer o'r Sacsoniaid cyn dianc. Ar ôl y gyflafan hon, sy'n cael ei galw gan y Cymry yn 'Frad y Cyllyll Hirion', mynnodd y Sacsoniaid fod Gwrtheyrn yn ildio holl diroedd Essex, Sussex a Middlesex iddyn nhw.

Brad y Cyllyll Hirion

Mae hi'n ddigon, dyna ddwedwn
Os am Gymru'n gwlad y soniwn;
Dechrau amau nad oes digon
Aeth yn Frad y Cyllyll Hirion.

Llygad Lloer a Llygad Llugwy,
Llygaid gwynion a gweladwy,
Ond llygadu'r tir dros afon
Aeth yn Frad y Cyllyll Hirion.

Porth Dinllaen, Porth-gain, Porth Neigwl:
Porthi'r cof a phorthi'r meddwl;
Porthi chwant y dwylo budron
Aeth yn Frad y Cyllyll Hirion.

Glyn y Groes, Glyn-nedd, Glyncorrwg:
Glynnoedd teg iawn yn fy ngolwg;
Glynu at hen wenwyn lladron
Aeth yn Frad y Cyllyll Hirion.

Ynys Gwylan, Ynys Dewi
Yn Afallon gynnes inni;
Ynys farus yn y galon
Aeth yn Frad y Cyllyll Hirion.

Y mae cân gan afon Tywi,
Dwyfor, Ebwy, Clwyd a Theifi;
Tebyg iawn yw cân pob afon:
Cân am Frad y Cyllyll Hirion.

Gwlad Heledd a Chynddylan Wyn

Fel llawer o drefi ger y ffin rhwng Cymru a Lloegr, mae Amwythig yn dref braf i ymweld â hi. Mae yno gastell a hen abaty a digon o arwyddion bod hanes hir a diddorol iddi. Wrth gerdded o gwmpas yr amgueddfeydd a darllen pytiau o straeon ar fyrddau gwybodaeth ac mewn llyfrau lleol, cawn ddysgu bod y Rhufeiniaid wedi bod yn byw gerllaw, bod y Saeson wedi sefydlu'r dref a bod y Normaniaid wedi ei chreu'n ganolfan filwrol i ymosod ar Gymru. Ond does dim sôn i'r ardal fod yn rhan o diroedd y Cymry ar un adeg.

Os trown ni at farddoniaeth gynnar Gymraeg, cawn stori wahanol. Mae afon Hafren yn tarddu ym mynyddoedd canolbarth Cymru, yn llifo tua'r dwyrain – drwy Amwythig – ac yna'n troi tua'r de. Roedd y tiroedd hyn i gyd yn rhan o wlad y Cymry hyd y seithfed a'r wythfed ganrif a Chymraeg oedd iaith yr enwau lleoedd, y werin oedd yn trin y tir a'r brenhinoedd yn y llysoedd. Mae gwahanol gerddi cynnar yn mynd â ni yn ôl i wahanol gyfnodau ac i wahanol rannau o wledydd Prydain – roedd y tiroedd hyn i gyd yn rhan o diriogaeth y Gymraeg cyn i'r Saeson a'r Saesneg ei meddiannu.

Mewn cylch o gerddi sy'n cael ei alw'n 'Ganu Heledd' cawn hanes teulu Cynddylan

Wyn. Roedd yn frenin ar yr Hen Bowys yn y seithfed ganrif, â'i lys ym Mhengwern (lle mae castell Amwythig heddiw yn ôl traddodiad). Heledd, chwaer Cynddylan, sy'n adrodd yr hanes yn y cerddi a chawn rannu ei baich o hiraeth a thorcalon. Yn ôl y cerddi, bu Cynddylan yn ymladd yn erbyn gwŷr Lloegr ac fe'i lladdwyd mewn brwydr yn amddiffyn yr Hen Bowys – gwastadedd swydd Amwythig erbyn heddiw. Cafodd ei gladdu yn Eglwysau Basa. Mae'r enwau hyn i'w canfod ar fapiau yno heddiw.

Lladdwyd llawer o'r rhyfelwyr, llosgwyd Llys Pengwern gan y Saeson a difethwyd y wlad, y

Ble mae Pengwern heno?

Mae dagrau afon Hafren ar y ddôl;
Mae enw lle Cymraeg i'w weld ar sgrôl,
Ond ni ddaw Heledd heno'n ôl.

Mae'r neuadd wen a byrddau'r wledd yn fud;
Mae'r milwyr ffraeth mewn beddau wrth y rhyd
A hiraeth am hyn oll o hyd.

Mor gyflym yr aeth gwellt y to ar dân;
Mor hir eu cwsg mewn tiroedd ar wahân;
Mor welw ydi golau'r gân.

Mae torf y dre ar ffrwst ynglŷn â'u gwaith
A neb am oedi gyda dechrau'r daith
Mewn hen, hen gerdd mewn hen, hen iaith.

Mae dŵr o'r bryniau dan ei phontydd hi
A'r gwern yn taflu'u dail i goch y lli
A llwybrau eraill sydd mewn bri.

Ond er bod eira ar y gorwel gwyn,
Ac er mai meini chwâl yw'r gaer ar fryn,
Mae Pengwern dan y strydoedd hyn.

ffermydd a'r trefi o gwmpas hefyd. Dyna ddiwedd cyfnod y Cymry yn yr Hen Bowys. Ffodd y teuluoedd tua mynyddoedd Cymru, gan ddilyn llwybr afon Hafren i dir diogelach.

Mae'r cerddi Cymraeg yn wynebu'r colledion a'r llanast ar ôl y rhyfela. Does dim o'r hanes hwn i'w ganfod ar waliau nac yn llyfrau Amwythig heddiw, ac eto – am ein bod ni'n gwybod am y cerddi Cymraeg – mae'r cyfan yno o hyd wedi ei guddio o dan yr wyneb. Mae ambell stryd ac ambell fusnes yn dal i ddefnyddio'r enw 'Pengwern' yno o hyd!

Clawdd Offa

Brenin y Saeson rhwng 757 a 796 oedd Offa. Hwnnw oedd y brenin cryfaf a gawsent hyd hynny. Er iddo yntau ymosod ar Gymru a lladd, lladrata a llosgi rhannau ohoni, penderfynodd ganolbwyntio ar gael pob cornel o Loegr o dan ei ddylanwad. Er mwyn gwneud hynny, roedd yn rhaid anghofio am ymosod ar y Cymry a cheisio eu rhwystro hwythau rhag dial ar Loegr. Penderfynodd nodi ffin bendant rhwng y ddwy wlad a gwahardd unrhyw un rhag croesi'r ffin.

Ei ddull o greu ffin oedd codi clawdd a chreu ffos ddofn – a dyma Glawdd Offa. Roedd y Clawdd dros ddau fetr o uchder mewn mannau a'r ffos – ar ochr Cymru – yn ddau fetr o ddyfnder. Yn ychwanegol at hynny roedd ffens goed ar hyd crib y clawdd. Yn ffin 150 milltir (240 cilometr) o hyd, yn ymestyn o Brestatyn yn y gogledd-ddwyrain i Gas-gwent yn y de-ddwyrain, roedd ei godi'n anferth o waith yn yr wythfed ganrif. Hwn oedd y prosiect adeiladu mwyaf yn Ewrop nes y crëwyd y camlesi ar ddechrau'r chwyldro diwydiannol. Golygai lafur gan fyddin enfawr o weithwyr. Cymaint ydi'r marc ar y tir nes bod hyd yn oed yr olion sydd ar ôl o'r Clawdd yn weladwy o'r gofod.

Mae'r terfyn rhwng Cymru a Lloegr heddiw yn debyg iawn i'r hyn ydoedd 1300 o flynyddoedd yn ôl – ar wahân i diroedd a enillodd y Cymry o dan Owain Gwynedd gan ymestyn y ffin at lannau Dyfrdwy yn y gogledd-ddwyrain. Mae llwybr cerdded enwog yn dilyn Clawdd Offa heddiw, a bydd llawer yn ei gerdded yn flynyddol.

Mae'n bodoli yn ddyfnach nag ar wyneb y tir hefyd – yn y Gymraeg, byddwn yn dal i sôn am 'bobl yr ochr yma i'r Clawdd', neu 'bobl o'r ochr draw i'r Clawdd'. Mae'r Clawdd wedi pwysleisio'r gwahaniaethau sydd rhwng y bobl o dras Geltaidd sy'n byw ar y bryniau tua'r gorllewin a'r Sacsoniaid sy'n byw ar wastadeddau'r dwyrain.

Roedd cosb i'r Cymry fyddai'n mentro croesi'r Clawdd yn oes Offa – dywedir ei bod hi'n arferol i'r Saeson dorri clustiau unrhyw Gymro oedd yn cael ei ddal i'r dwyrain o Glawdd Offa. A doedd hi ddim yn dda ar Sais fyddai'n cael ei ddal i'r gorllewin ohono chwaith. Credir bod gwylwyr gan y Saeson yma ac acw, yn defnyddio uchder y Clawdd i gadw llygad ar y Cymry.

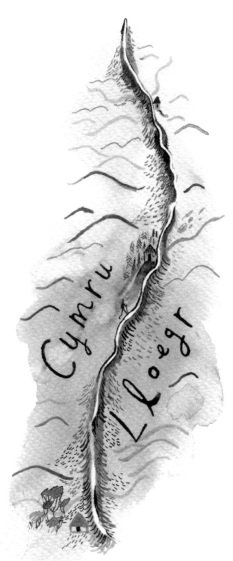

Egbert y Gwyliwr ar Glawdd Offa

Y fi ydi Egbert, yr un sy'n sbecian,
Weithiau liw dydd, weithiau'n dylluan;
Y ffens goed ar y grib – hon yw fy nharian.

Yn fy llaw, gwaywffon – saith troedfedd o bren onnen,
Yr haearn ar ei blaen yn loyw'n yr heulwen;
Yma ar y Clawdd, ceiliog pen domen.

Craffu, ysbïo, cadw llygad;
Adrodd am arwydd bod acw ddrwgdeimlad;
Gwylio'r bobl estron – dyna fy mwriad.

Yr ochr draw mae niwl mân y mynydd,
Mwd ar lwybrau, ac mewn pant, llifogydd;
Yr ochr draw mae pobl ddigrefydd.

Yr ochr draw mae drain a chlogwyni,
Pridd yn llawn cerrig, meysydd llawn meini;
Gwlad arw – a'r garw sy'n byw ynddi.

Pell y bôn nhw o'n hochr ninnau
Lle mae gwartheg braf yn llenwi'r caeau,
Gwenith mewn rhychau ac ar goed, afalau.

Mor ddistaw ydyn nhw heddiw – y cnafon!
Ond er na ddeallaf 'run gair o'u sibrydion,
Y fi ydi Egbert, un â'i lygaid ar ladron.

Llychlynwyr!

Mae llawer o enwau arnynt – y Llychlynwyr, y Daniaid, y Feicings, y Lluoedd Duon. Ond yr un ias o ofn a dychryn roedd pob un o'r enwau hyn yn ei chreu ar lannau Cymru yn y nawfed a'r ddegfed ganrif.

Norwy, de Sweden a Denmarc oedd tiroedd cynhenid y Llychlynwyr ond roeddent yn forwyr medrus ac yn ddynion anturus. Mewn llongau hirion yn dal tua deg ar hugain o filwyr ffyrnig a rhwyfwyr cryfion, aeth y Llychlynwyr yn heidiau i ddwyn, llosgi a lladd drwy ogledd Ewrop gan ymsefydlu hefyd yn rhai o ynysoedd yr Alban, gogledd Lloegr a Dulyn. Oddi yno gallent gyrraedd glannau Cymru a chodi ofn a dychryn ar bobl y glannau.

Yn 855 hwyliodd llynges o longau rhyfel y Daniaid o Iwerddon i gyfeiriad Cymru. Ond roedd Rhodri Mawr, brenin y Cymry ar y pryd, wedi casglu byddin i amddiffyn y wlad. Bu'r frwydr ar y morfa wrth ymyl y fan lle mae tref Llandudno heddiw. Lladdwyd Horm, arweinydd y Llychlynwyr, gan sicrhau bod Cymru'n ddiogel.

Ond poenydiwyd y Cymry gan y llongau hirion hyn a'u morwyr rhyfelgar am flynyddoedd ar ôl hynny hefyd ac mae nifer o enwau lleoedd yng Nghymru yn deillio o iaith y Llychlynwyr: *Anglesey, Bardsey* a *Swansea*.

Heno

B
R
O
C
H
U
S
heno yw'r gwynt,
a'r tonnau'n codi a tharo
y traeth yn gynt ac ynghynt,
er nad yw tarian Rhodri
ar graig yn cael ei chodi
fel yn y dyddiau gynt.

B
R
A
F
wyf innau'n fy nghwsg, heb ofni
na llafn na fflam drwy'r to:
ni ddaw y Daniaid heno
drwy'r ewyn
gwyllt i'r
fro.

(Mae siâp a chynnwys y gerdd hon wedi'u seilio ar batrwm cerdd a gyfansoddodd mynach Gwyddelig ar ymyl dalen o femrwn yn oes y Llychlynwyr.)

Gruffudd ap Cynan

Ganwyd a magwyd Gruffudd ap Cynan yn Nulyn – roedd ei fam yn ferch i frenin Dulyn. Ond brenin Gwynedd oedd Cynan ei dad a phan dyfodd y llanc yn ddyn, cododd fyddin i ailfeddiannu gwlad ei dadau. Ennill a cholli fu ei hanes am flynyddoedd – trechodd ei elynion droeon, ac yna byddai'n gorfod ffoi i Iwerddon am loches. Y Normaniaid oedd y ddraenen yn ei ystlys – o'u cadarnle yn ninas Caer byddent yn gyrru byddinoedd niferus i ogledd Cymru gan godi cestyll yn gyflym i ddwyn a rheoli'r tir. Hugh Lupus – Huw Flaidd – oedd enw Iarll Caer ac roedd yn gymeriad tebyg iawn i'r anifail hwnnw.

Cafodd Gruffudd gyfnod llewyrchus, a daeth yn frenin cryf ar Wynedd. Gwahoddwyd ef i gynhadledd heddwch yn y Rug ar lan afon Dyfrdwy ger Corwen i drafod telerau gyda Huw Flaidd a'r Normaniaid eraill. Ond twyll oedd y cyfan, ymosodwyd ar osgordd heddychlon Gruffudd – torrwyd bawd pob un o'i filwyr a thaflwyd Gruffudd i'r gell waethaf ym mhydew Castell Caer. Câi ei lusgo yn gyhoeddus i'w roi yng nghyffion y stocs ger y Groes o flaen yr eglwys bob diwrnod ffair a marchnad er mwyn i dyrfaoedd y ddinas ei wawdio a thaflu pob math o faw a sothach ato.

Wedi 16 mlynedd o gaethiwed i Gruffudd, ac 16 mlynedd o ddioddefaint dan fyddinoedd a chestyll y Normaniaid yng ngogledd Cymru, daeth gŵr tal o Edeyrnion – Cynwrig Hir – a chriw o gyfeillion i'w gipio o'r cyffion un diwrnod ffair, a'i gario heibio milwyr y pyrth a'r bont yn ôl dros afon Dyfrdwy i Gymru.

Wedi iddo adfer ei nerth, arweiniodd Gruffudd y Cymry i losgi pob castell Normanaidd yng Ngwynedd yn 1094.

Pan fyddwn yn ymweld â dinas Caer y dyddiau hyn, mae'n werth cymryd saib o'r siopau i gerdded o gwmpas gerddi a sgwâr y gadeirlan i gofio am un o frenhinoedd Cymru a gawsai ei gam-drin yno. Yna, troi at yr afon a gweld yr hen bont dros afon Dyfrdwy – pont bren oedd yno yn nyddiau Gruffudd wrth gwrs. Mae plac gerllaw yn dangos golygfa hanesyddol – un o'r byddinoedd niferus yn gadael Caer i ymosod ar ogledd Cymru. Mae llun o'r bont yno hefyd, gyda wal y ddinas a'r tyrau crwn ar lan yr afon a phorthdy caerog yng nghanol y cerrynt – roedd angen y rhain, yn ôl yr arysgrif, er mwyn amddiffyn y ddinas rhag 'y Cymry ysbeilgar'!

Gruffudd yng ngharchar Caer

Mae'n haf ac mae'r haul yn taro fy llygaid
Wrth godi o'r pydew i'r stocs wrth y Groes,
Mae'r brain wrth fy nhraed yn pigo drwy'r sbwriel
A chwerthin y farchnad yn gwatwar fy loes.

Mae'r blaidd yn ei gastell a Duw yn ei eglwys
A chroch y bargeinio am aur ac am dir,
Rwyf innau yn anfon colomen fach dawel
I weld ga' i fynydd neu fôr cyn bo hir.

Mae'n hydref, dail melyn y coed yn chwyrlïo
A rhywun yn rhegi y Cymro a'i wlad,
Gwylanod yn ffraeo am berfedd hen bennog
O dan ffenest liw a thŵr clychau'r Tad.

Mae'r gaea'n y sgwâr, mae hi'n eira o'r dwyrain,
Cardotwyr y ddinas yn hel fala drwg,
Ac ambell fwcedaid o waelod sur casgen
Yn dod o dafarndai'r cawl cynnes a'r mwg.

Daw'r gwanwyn i Gaer ac mae'n ffair gynta'r tymor,
Acenion Cymreig ar stondin fan draw,
Mae mynaich y gerddi'n hel tail at eu rhychau
Ond yma mae rhywun a gwres yn ei law.

Mae'r blaidd yn ei gastell a Duw yn ei eglwys
A chroch y bargeinio am aur ac am dir,
Rwyf innau yn anfon colomen fach dawel
I weld ga' i fynydd neu fôr cyn bo hir.

Mae'n hwyr ac mae'r dyrfa yn gwthio drwy'r strydoedd,
Mae sach ar gefn cryf ar bont Porth y De,
Mae dŵr cored Ddyfrdwy a'r helyg glan afon
Yn canu am ryddid wrth fynd tua thre.

Gwenllïan ferch Gruffudd

Merch ieuengaf Gruffudd ap Cynan, tywysog Gwynedd oedd Gwenllïan. Ganwyd hi yn y llys yn Aberffraw, Môn yn 1097 – yng nghanol rhyfeloedd ei thad i gael gwared o'r Normaniaid o ogledd Cymru. Hi oedd yr olaf o wyth o blant ac mae'n debyg ei bod yn drawiadol o hardd.

Daeth tywysog y Deheubarth, Gruffudd ap Rhys, i gyfarfod â Gruffudd ap Cynan yn 1113 i drafod cyrchoedd ar y cyd yn erbyn y Normaniaid. Ond syrthiodd mewn cariad â'r dywysoges ifanc. Rhedodd y ddau i ffwrdd gyda'i gilydd i fyw yng nghastell Dinefwr a chawsant wyth o blant.

Bywyd cythryblus a gawsant yn magu'r plant a cheisio cadw'r Deheubarth yn rhydd o afael mwy a mwy o Normaniaid a fyddai'n ymosod ar y glannau, dwyn darnau o dir a chodi cestyll i amddiffyn eu troedle. Bu'n rhaid i Gruffudd a Gwenllïan a Chymry'r llys adael castell Dinefwr a byw yn y cymoedd coediog gan ymosod yn filain a chyflym ar y Normaniaid, cyn dychwelyd i ddiogelwch y wlad.

Yn 1136, cododd y Cymry mewn gwrthryfel mawr yn erbyn y Normaniaid ym mhob cwr o'r wlad. Arweiniodd Hywel o Frycheiniog ei fyddin yn erbyn Normaniaid Gŵyr gan eu trechu'n llwyr ym Mrwydr Casllwchwr.

Ysbrydolwyd Gruffudd a Gwenllïan gan y fuddugoliaeth hon a theithiodd Gruffudd i Fôn i alw am gefnogaeth Gruffudd ap Cynan i greu gwrthryfel cenedlaethol.

Tra oedd Gruffudd yn y gogledd, daeth neges yn dweud bod y Norman Maurice de Londres wedi glanio yng Nghydweli a'i fod ef a'i fyddin yn teithio i fyny Cwm Gwendraeth i ymosod ar y Cymry.

Doedd dim amser i ddisgwyl i Gruffudd ddychwelyd o'r gogledd. Galwodd Gwenllïan ei byddin ynghyd a'u harwain i lawr y cwm. Roedd wedi arfer rhyfela yng nghwmni ei gŵr. Gyda hi, roedd ei meibion ugain a deunaw oed, Morgan a Maelgwn. Wrth iddynt fynd heibio pentrefi'r Cymry, ymunodd rhagor o ffermwyr a gweithwyr â'r fyddin gan chwifio arfau'r tir ar eu ffordd i'r gad.

Cyfarfu'r ddwy fyddin ar dir gwastad ger yr afon i'r gogledd o gastell Cydweli. Roedd byddin y Normaniaid yn niferus ac wedi'i harfogi'n well. Collodd y Cymry'r dydd. Daliwyd Gwenllïan a thorrwyd ei phen gan y Normaniaid. Lladdwyd Morgan yn y frwydr a dienyddiwyd Maelgwn hefyd wrth ochr ei fam.

Er i Gwenllïan gael ei threchu, llwyddodd ei dewrder i ysbrydoli'r Cymry. Am ganrifoedd ar ôl hynny, âi'r Cymry i'r gad yn erbyn y Normaniaid gan weiddi 'Dial Gwenllïan!' Arweiniodd Iorwerth Gymry Gwent yn erbyn

Richard Fitz Gilbert de Clare gan ei ladd. Dychwelodd Gruffudd o Wynedd gydag Owain a Chadwaladr – brodyr Gwenllïan – a'u byddinoedd gan drechu'r Norman mewn cyfres o frwydrau yng Ngheredigion a Chaerfyrddin.

Mae 'Maes Gwenllïan' yn enw fferm ger castell Cydweli hyd heddiw. Hi oedd yr unig dywysoges Gymreig i arwain byddin yn erbyn y Normaniaid ac mae'n cael ei chymharu â Buddug yn gwrthryfela yn erbyn y Rhufeiniaid.

Gwenllïan yn y gad

Pan ddaeth y Norman yn drwm iawn ei droed
A'i fwriad oedd gwasgu ar Gymru
Gan ddwyn a llofruddio, meddiannu drwy drais
A chwalu aelwydydd pob teulu,

Y hi oedd y rhaeadr a'r gwynt yn ei gwallt
A phigiad y dail ar y celyn,
Y hi oedd y derw'n cysgodi'r hen gwm
A'r ddraenen yn ystlys y gelyn.

Pan nad oedd byddin na baner nac arf
Na milwr na llyw'n ysbrydoli
A'r Norman yn llifo fel tonnau o'r môr
Gan fygwth traflyncu tir Tywi,

A phan ddaeth ei meibion a'u cledd yn eu llaw
A dweud eu bod hwythau yn ddynion,
Pa les iddi hithau eu cadw o'r gad
A'r wlad gyfan angen ei dewrion?

Y hi oedd y rhaeadr a'r gwynt yn ei gwallt
A phigiad y dail ar y celyn,
Y hi oedd y derw'n cysgodi'r hen gwm
A'r ddraenen yn ystlys y gelyn.

Dewch heddiw i'r ddôl rhwng afon a choed,
Mae enw ar faes y gyflafan,
Mae'r haul ar y gwlith, ac mae'r adar yn gân
Ac yno mae'r cof am Gwenllïan.

Ifor Bach

Yn 1158, penderfynodd y Norman William Fitz Robert ei fod eisiau rhagor o dir. Roedd yn byw yn ddiogel gyda chant o'i filwyr mewn tŵr ar ben tomen uchel yng nghastell Caerdydd. Anfonodd ei filwyr i lys Cymro o'r enw Morgan ab Owain, Arglwydd Caerllion a Gwynllwg. Lladdwyd Morgan a chipiwyd ei eiddo a'i diroedd gan y Normaniaid. Yn fuan wedi hynny, anfonodd William Fitz Robert fyddin gref o filwyr i Senghennydd ar yr un perwyl yn union. Ifor ap Meurig – a gâi ei alw'n 'Ifor Bach' oherwydd ei faint – oedd Arglwydd Seghennydd ac er i'r Normaniaid gipio darn helaeth o'i stad, ni chawsant afael arno ef na'i ddynion.

Yn ei gastell yng Nghaerdydd, teimlai'r Norman yn ddiogel a chryf. Ond un noson, dysgodd Ifor Bach a'i ddynion wers iddo. Aethant yn dawel at y waliau gydag ysgolion hirion. Ifor oedd y cyntaf dros y grib a buont yn chwilio drwy'r tŵr yn y tywyllwch. Daethant ar draws ystafell wely William Fitz Robert. Clymwyd y Norman a'i wraig a chipiwyd y ddau, a'u mab bychan, yn ôl i goedwigoedd y bryniau. Gwrthododd Ifor eu rhyddhau nes iddo ddychwelyd y tiroedd yr oedd wedi'u dwyn – ac ychydig mwy! – yn ôl i Gymry Senghennydd. Wedi hynny, ni fyddai'r Normaniaid yn teimlo mor ddiogel yng nghadernid eu cestyll.

Heddiw bydd llawer o Gymry Cymraeg Caerdydd yn mwynhau adloniant cyfoes Cymraeg mewn clwb nos o'r enw Clwb Ifor Bach – sydd wedi'i leoli yn union gyferbyn â waliau castell Caerdydd y bu'r awrwr bach o Senghennydd yn eu dringo tua naw can mlynedd yn ôl!

Cipio Iarll y Castell

Mae tomen o bridd yng nghastell Caerdydd:
Roedd muriau o'i hamgylch, a thŵr;
Yno, un nos, gyda'i Iarlles a'i fab,
Yn dawel iawn cysgai un gŵr.

Norman oedd hwnnw – roedd William Fitz Robert
A'i enw yn ddychryn drwy'r tir:
Roedd ganddo ei fyddin, ei gleddyf a'i gaer –
Doedd neb iddo'n elyn yn hir.

Cysgu'n ddi-boen wnâi William Fitz Robert –
Can milwr a mwy yn y tŵr –
A chwarddai'n ei gwsg – roedd Cymro bach arall
Yn crynu'n ei sgidiau yn siŵr!

I diroedd Senghennydd y bore da hwnnw
Anfon'sai y Norman ei lu
Gan ddwyn tamaid helaeth o wlad Ifor Bach –
Mor hawdd, a hwythau mor gry!

Tra chwyrnai y Norman a chwerthin drwy'i hunan,
Daeth dynion drwy'r coedydd yn gudd
Gan gario ysgolion a rhaffau a bachau
At droed muriau uchel Caerdydd.

Ifor ap Meurig – un bychan oedd hwnnw
Ond roedd yn ei galon yn gawr,
Ac ef oedd y cyntaf i'r cribau fel gwiwer
A chwiliodd drwy'r tŵr, lawr wrth lawr.

Daliwyd Fitz Robert a'i Iarlles a'u plentyn –
I goedydd Senghennydd â hwy,
Ac yno'n garcharor, y Norman a ildiodd:
Dychwelodd y tir – a pheth mwy!

Mae tomen o bridd yng nghastell Caerdydd
A thŵr ac o'i amgylch mae mur,
Ond dewrach na'r cerrig a byddin y Norman
Oedd Ifor ap Meurig a'i wŷr.

Y Brenin Twyllodrus

Yn 1158, wedi ymgyrchoedd gwaedlyd yn dwyn tiroedd yn Iwerddon, trodd y brenin Harri II o Loegr ei olygon gwancus at Ddeheubarth Cymru. Roedd Owain Gwynedd yn ormod o feistr arno yng ngogledd y wlad ac erbyn hynny roedd yr Arglwydd Rhys wedi cael gafael gadarn ar Ddyffryn Tywi, Penfro a Cheredigion ac yn adeiladu cyfres o gestyll cerrig. Gwahoddodd Harri yr Arglwydd Rhys a'i osgordd i'w lys yng Nghaerwrangon i drafod heddwch, gan sicrhau diogelwch anrhydeddus a thelerau rhesymol iddo. Pan gyrhaeddodd y Cymry'r ddinas, taflwyd y cwbl ohonynt i garchar y castell. Anfonodd Harri un o'i filwyr ffyddlonaf i wlad Rhys, ac i ardal castell Dinefwr yn bennaf, i weld pa mor fras oedd y tiroedd a pha mor gyfoethog oedd y trigolion er mwyn ystyried oedd hi'n werth y gost o fynd i ryfel i'w dwyn oddi ar y Cymry. Gorfododd ysbïwr Harri brif swyddog eglwysig y Cantref Mawr – Gwyddan – i'w dywys o amgylch yr ardal. Drwy lwc, roedd y gŵr duwiol hwnnw yn credu'r ddihareb: 'Nid twyll, twyllo'r twyllwr'!

Gwyddan y Llwynog

Lleidr yn gyntaf oedd Harri'r Ail y Saeson:
Llygadodd Gaerfyrddin a Cheredigion.

'Pa sut le sydd yno?'
Doedd dim llawlyfr Bwrdd Croeso
Na Gwgl eto;
Doedd dim yn gw'itho
Ond mynd i ysbïo.

Yr Arglwydd Rhys oedd tywysog y Cymry:
Rhys, godwr cestyll; Rhys, anodd ei drechu.
'Dewch, i drafod heddwch,' meddai'r brenin ysbeilgar,
I'w ddenu â baner wen i Loegr – a'i daflu i garchar.

Yna, gyrrwyd milwr
I fusnesu'n Ninefwr –
Gwychder y castell, cynnyrch y meysydd,
Faint o win Ffrainc oedd yn ei selerydd?
Er mwyn iddo benderfynu
Oedd hi'n werth ei meddiannu.

Hawliodd y milwr wasanaeth un o wŷr Duw:
Gwyddan Dda – i ddangos eu ffordd o fyw.

'Dyma'r hewl y byddwn ni'n teithio,'
Meddai Gwyddan, y llwynog iddo,
Wrth faeddu'i sandalau yn y pyllau lleidiog,
A'u crafu ar hyd y llechweddau creigiog.

'Yr hewl orau, yr hewl hawdd – dyma hi honno,'
Meddai Gwyddan, y llwynog iddo.

'Mae syched arnaf,' cwynodd milwr Harri.
'Paid â phoeni, mae'n hawdd iawn ei dorri,'
Atebodd Gwyddan, ac yfed ar ei lin
Ddŵr budr o'r ffos. 'A! Fel gwin!
Mae'r mwd yn y gwaelod yn rhoi corff i'r ddiod!
Mae'r blas yn aros yn hir ar dy dafod!'

'Mae'n amser bwyd!' cwynodd sbïwr y brenin.
'Dim problem o gwbl, mae blas anghyffredin
Ar y wlad sydd o'n cwmpas!' a dechreuodd Gwyddan
Roi glaswellt yn ei geg, a gwreiddiau cyfan
A chanmol a chanmol pob deilen fach:
'Yma yng Nghymru, ry'n ni'n bwyta mor iach!'

'Pryd gyrhaeddwn ni'r castell?' holodd y truan.
'Ond ry'n ni yno'n barod!' eglurodd Gwyddan.
'Y creigiau yw'r waliau, y goedwig yw'r to,
A'n gwelye yw'r rhedyn sy'n tyfu'n y fro.
Beth am gael cwsg fach ar ôl y fath ginio?'
A gorweddodd Gwyddan, y llwynog iddo.

Ffodd y milwr ac adrodd wrth y brenin
Mai anwariaid oedd yn byw yng Nghaerfyrddin,
Nad oedd dim diben ceisio dwyn y fath dalaith
Oedd yn yfed mwd ac yn bwyta mor ddiffaith.

Rhyddhawyd Rhys, ac yn Ninefwr annwyl
Roedd gwledd ryfeddol a gwin yn ei ddisgwyl.

Yr Arglwydd Rhys a'r Eisteddfod Gyntaf

Mae'r Eisteddfod Genedlaethol yn ŵyl sy'n dathlu pob agwedd ar Gymreictod ac yn llwyfan i ddoniau disgleiriaf y wlad – yn ogystal ag yn faes i drafod a cheisio rhoi trefn ar rai o'r problemau sy'n gwasgu arnom o flwyddyn i flwyddyn.

Yn ôl hen lyfr hanes y Tywysogion Cymreig, cynhaliwyd yr eisteddfod gyntaf yng nghastell Aberteifi dros y Nadolig yn 1176. Cafodd ei chyhoeddi ym mhob llys yng Nghymru flwyddyn ymlaen llaw a rhoddwyd un gadair i'r bardd gorau a chadair arall i'r cerddor gorau o bith y telynorion, y crythorion a'r pibyddion a ddaeth yno.

Yr Arglwydd Rhys, perchennog y castell, a drefnodd yr ŵyl. Ond roedd yn fwy na chyfarfod cystadleuol. Roedd yn ddathliad bod y Cymry wedi ailfeddiannu Ceredigion a'i rhyddhau o ddwylo'r Normaniaid.

Dechreuodd yr ymgyrch honno yn 1136 pan gafodd byddin Owain Gwynedd a Gruffudd, tad yr Arglwydd Rhys, fuddugoliaeth enfawr dros y Normaniaid ym Mrwydr Crug Mawr, ddwy filltir i'r gogledd o Aberteifi. Ymlidiwyd y Normaniaid i afon Teifi – torrodd pont y dref dan bwysau'r ffoaduriaid a boddwyd cymaint nes atal llif yr afon.

Meini wrth yr afon

Cylch o feini
wrth sŵn afon Teifi,
yr haul yn eu cynhesu
a'r glaw yn eu golchi.

Meini'n gwarchod
ac yn fan cyfarfod,
tinc y cleddyfau
a thonc yr eisteddfod.

Meini o'r newydd
yn gryf yn ei gilydd
yn dal y goleuni
ac yn drech na'r tywydd.

I'r cerddor gorau
a phencerdd y geiriau,
mae cadair yn y llys
a'r lle i gyd yn glustiau.

Meini yn gylchoedd
yn cyfri'r blynyddoedd
ac yn cynnal gŵyl
ar faes hen sgarmesoedd.

Dilynodd Rhys ap Gruffudd ei dad yn Dywysog y Deheubarth, gan gipio nifer o gestyll y Normaniaid yn ne-orllewin Cymru a'u dinistrio. Yn 1165, daeth castell Aberteifi i'w feddiant ond yn hytrach na'i chwalu, symudodd Rhys ei brif lys yno ac yn 1171 dechreuodd adeiladu castell carreg yno ar ben safle pridd a choed y Normaniaid. Hwn oedd y tro cyntaf i Gymro adeiladu castell o garreg. Roedd wedi llwyddo i gael cystal llaw uchaf ar ei elynion erbyn hynny nes iddo gael ei gydnabod yn swyddogol fel Arglwydd y Deheubarth – yr Arglwydd Rhys.

Yn Nadolig 1176, cynhaliodd yr Arglwydd Rhys eisteddfod yn ei gastell newydd. Daeth y castell carreg yn gartref i'r diwylliant Cymraeg. Yn ogystal â cherdd a chân, roedd llwyddiant y Cymry ar faes y gad yn cael ei ddathlu yn yr eisteddfod gyntaf honno yn 1176. Yn ddiweddarach, codwyd cylch o feini i'r Orsedd ym mhob tref y byddai'r Eisteddfod Genedlaethol yn ymweld â hi.

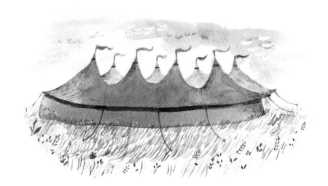

Yr Arglwydd Rhys a Chastell Nanhyfer

Heddiw mae olion Castell Nanhyfer i'w gweld ychydig yn uwch i fyny'r allt na'r hen eglwys yn y pentref. Cipiodd yr Arglwydd Rhys y castell oddi ar y Norman Fitzmartin yn 1191 a bu'n un o gadarnleoedd y Deheubarth am gyfnod, cyn i'r Cymry ei ddryllio a'i adael.

Mae cwm afon Nyfer yn gul ac yn goediog a'r dŵr yn llifo'n dywyll ar ei ffordd i'r môr ger Trefdraeth. Pan fydd hi'n bwrw, mae'r afon yn cochi ac yn codi'n lli yn gyflym. Yna, pan fydd yr hindda'n dychwelyd, bydd yn gostwng ac yn glir unwaith eto.

Roeddem yn gwersylla ger yr afon yn ystod Eisteddfod yr Urdd ym Mhenfro yn 2013 a gwelsom y newidiadau sydyn hyn yn natur yr afon. Arwydd arall o'r tywydd oedd y deucant a mwy o wenoliaid fyddai'n gwibio uwch yr afon fin nos yn y gwersyll. Pan fydd y wennol yn uchel – arwydd tywydd braf; ond os bydd yn hela'i phryfed yn agos at wyneb y dŵr – glaw.

Storm a thywydd teg oedd hanes y Cymry yng nghyfnod y Normaniaid hefyd ac roedd hi'n ddigon addas meddwl am yr Arglwydd Rhys yn ystod yr Eisteddfod honno.

Gwenoliaid afon Nyfer

Pluen wen o gwmwl marw
Heddiw'n llonydd ar y derw,
Niwl o'r môr yn cuddio'r mynydd
A distawrwydd yn y gelltydd.

Dŵr y mawn a'r glaw digalon
Wedi cochi llif yr afon
A'r gwenoliaid glas yn gwibio
Drwch adenydd uwch ben honno.

Pan ddaw cawod arall arnom
Ni all ladd y gwres sydd ynom,
Awn i'r maes a daliwn ati
I godi muriau i'r Preseli.

Ac mae lliwiau Mai'n y brigau –
Maen nhw'n cymell y pelydrau
Sydd â'u penderfyniad tawel
Eto'n lledu'n wên o'r gorwel.

Awyr hwyr yn llawn o glebran,
Cân y dŵr yn glir fel graean
Ac mae troelli'r adar gleision
Uchder derwen uwch yr afon.

Gruffudd yn y Tŵr

Os ewch i Lundain, prifddinas Lloegr, efallai y cewch gyfle i ymweld ag un o'r cestyll mwyaf cadarn yn y byd – Tŵr Llundain. Dechreuwyd ei godi gan Gwilym Goncwerwr (*Guillaume le Conquérant* yn Ffrangeg), y Norman a drechodd fyddin Lloegr yn Hastings yn 1066. Roedd Gwilym yn benderfynol o ddangos ei awdurdod a'i nerth milwrol ger bron pobl y brifddinas a chododd y Tŵr tal, caerog ar lan afon Tafwys.

Roedd dau ddiben i'r Tŵr o'r dechrau – creu cartref diogel i deulu brenhinol Lloegr a hefyd bod yn garchar i'r gelynion pennaf a fyddai'n bygwth y deyrnas honno. Cafodd amryw eu lladd yno. Mae 'porth y bradwyr' yn rhan o'r muriau amddiffynnol – roedd hwn yn arwain i'r carchar mwyaf cadarn yn Lloegr yn y dyddiau hynny. Yn eu tro, cadwyd brenhinoedd o Ffrainc ac o'r Alban yng ngharchar y Tŵr. Cadwyd tywysogion a thywysogesau o Gymru yno hefyd.

Pan fyddai brenin Lloegr yn trefnu heddwch gyda thywysogion y Cymry, fel rheol byddai'n hawlio meibion rhai o'r teuluoedd pwysicaf yn wystlon. Pe byddai un o delerau'r heddwch yn cael ei dorri yng ngolwg y brenin, byddai'n dial ar y gwystlon. Cafodd meibion Owain Gwynedd eu dallu gan haearn poeth gan y brenin Harri, er enghraifft.

Enillodd Llywelyn Fawr sawl buddugoliaeth yn erbyn y Saeson ond wrth drefnu heddwch gyda'r brenin John, roedd yn aml yn gorfod rhoi ei fab, Gruffudd, yn wystl i goron Lloegr. Dilynwyd Llywelyn Fawr gan Dafydd yn 1240 ac wedi rhyfel y flwyddyn ganlynol, trosglwyddodd Dafydd ei frawd, Gruffudd, yn wystl i'r brenin Harri III. Aed â Gruffudd o'i gartref yn Llŷn yr holl ffordd i Lundain a'i garcharu yn y Tŵr.

Talodd gwraig Gruffudd ddirwy i ryddhau ei gŵr, gan roi ei dau fab ieuengaf yn wystlon yn ogystal. Ond ni chadwodd Harri at ei air; yn hytrach cadwodd Gruffudd yn y Tŵr er mwyn ei ddefnyddio fel erfyn i fargeinio yn erbyn y Cymry.

Wedi tair blynedd yn y Tŵr, roedd Gruffudd wedi cael digon. Penderfynodd ddianc. Gwnaeth raff o gynfasau a charthenni. Roedd ffenest yn ei stafell – ffenest ar ochr ddeheuol y Tŵr, ar y llawr uchaf. Clymodd ei reffyn cartref wrth y ffenest a dringodd drwyddi ar y noson olaf o Chwefror 1244.

Ond roedd blynyddoedd o garchar wedi gwneud corff Gruffudd yn drwm a thrwsgl. Edrychodd i fyny'r afon am y tro olaf – pe byddai'n dilyn yr afon, byddai'n teithio i'r gorllewin i gyfeiriad bryniau Cymru, sŵn y Gymraeg a chwmni'i gyfeillion. Camodd drwy'r ffenest. Rhoddodd ei bwysau i gyd ar y clymau rhwng cynfas a charthen, yn uchel, uchel uwch y ddaear. Dechreuodd ollwng ei hun i lawr y rhaff, dwrn dros ddwrn. Yna, agorodd un o'r clymau. Disgynnodd Gruffudd yr holl ffordd i lawr y mur. Drannoeth – ar Ddydd Gŵyl Dewi – daethpwyd o hyd i gorff marw Gruffudd wrth droed y Tŵr Gwyn. Cafodd ffenest ei ystafell ei bricio ar ôl hynny – ond mae posib ei gweld yn y wal ddeheuol o hyd. Wrth edrych ar wyneb deheuol y Tŵr Gwyn, cyfrwch y ffenestri ar y llawr uchaf ar yr ochr chwith. Gwelwch fod y seithfed a'r wythfed o'r chwith wedi'u bricio – hon oedd ystafell Gruffudd.

Yn 1248, trefnodd mynaich Ystrad Fflur fod ei gorff yn dychwelyd i Gymru a chafodd ei gladdu gyda'i dad yn Abaty Aberconwy.

Gadael carchar

O dan y Tŵr Gwyn
Mae llechwedd y bryn
A muriau yn arwain i'r afon;
Ar noson fel hon
A'r lleuad yn gron,
Mae'n hawdd iawn croesawu breuddwydion
Am ddilyn y dŵr
Ymhell, bell o'r Tŵr
I Nefyn a dyffryn Nanhoron.

Drwy ffenest y de
Mae'r machlud i'r dde
A hwnnw yw llwybr fy nghalon,
A gwelaf fy hun
Ar aelwyd yn Llŷn,
Fy mhlant yn llawn hwyl a chwedleuon;
Mae gwŷr ar y traeth
Yn trin bwa saeth
A'r gof gyda'i haearn a'i wreichion.

Tair ffenest, tri llawr,
Uwch ben buarth mawr:
Mae'n ddeg taldra dyn ar eu hunion,
Aiff chwe chynfas wen
O'u clymu bob pen
At hanner y meini mawr gwynion;
Bydd chwe charthen dew
O'u clymu'n go lew
Yn gorffen y rhaff i'r gwaelodion.

Bu Gruffudd bob dydd
A'i feddwl yn rhydd
Yn rhwygo a phlethu'r carthenni;
Yn gref ac yn hir
Ymestyn i'r tir
Fydd hon ar ôl iddi nosi;
Rhoi un pen yn saff
A'i gollwng yn rhaff
Drwy'r ffenest a dianc ar hyd-ddi.

Wrth edrych i lawr
Yn llwydni y wawr
Y gwyliwr o'r Tŵr oedd yn gweiddi,
A rhuthrodd dau was
O'r stabal ar ras
I weld beth oedd achos y miri,
A Gruffudd a gaed
Yn drwm yn ei waed
A phlethiad y rhaff wedi torri.

Yn Nefyn yn Llŷn
Ei bobl ei hun
Mewn amser a glywodd y stori,
Bod hiraeth un gŵr
Yn drech na'r un Tŵr,
A'r brenin oedd am ei reoli,
Mai torri a wnaeth
Ei raff o'i gell gaeth
Pan dorrodd y wawr ar Ŵyl Ddewi.

Brwydr yn afon Menai

Cyneuodd Dafydd ap Gruffudd fflam annibyniaeth yng Nghymru yng ngwanwyn 1282 drwy ymosod ar gastell y Saeson ym Mhenarlâg, sir y Fflint. Ymunodd ei frawd, Llywelyn ein Llyw Olaf, gyda Dafydd gyda'r gobaith o ryddhau'r wlad o afael y byddinoedd a'r cestyll Normanaidd. Roedd Llywelyn eisoes wedi cael llawer o lwyddiant yn eu herbyn ac wedi uno Cymru gyfan o dan ei awdurdod. Roedd coron Lloegr hyd yn oed wedi cydnabod mai Llywelyn oedd yn dal yr hawl i arddel y teitl 'Tywysog Cymru'. Ond y tro hwn daeth Edward I, brenin y Saeson, â byddin anferth i Ynys Môn yn yr hydref gan losgi'r holl gnydau.

'Môn, Mam Cymru' yw'r hen ddywediad – roedd Gwynedd yn dibynnu ar gnydau Môn i gael bwyd at y gaeaf. O lannau'r Felinheli, gwelwyd golygfa ryfedd – roedd byddin Edward yr ochr draw i'r Fenai ym Moel y Don yn clymu cychod at ei gilydd ac yn creu 'pont' oedd yn nofio ar wyneb yr afon.

Erbyn y chweched o Dachwedd, roedd y bont wedi'i chwblhau. Bwriad Edward oedd bod ei fyddin yn croesi dros ffrâm bren oedd yn nofio ar gychod, yn gorchfygu'r Cymry a meddiannu Eryri. Roedd ei gynllun mawr yn barod a phan oedd yr afon ar drai, a'r dŵr yn isel iawn, dechreuodd ei farchogion groesi'r bont gychod yn un llinyn, gyda'r milwyr traed yn eu dilyn.

Drwy'r adeg, bu'r Cymry yn gwylio'r cynlluniau'n cael eu rhoi ar waith o'u cuddfannau ar hyd y glannau. Yn hytrach nag ymosod ar y rhai cyntaf i groesi, oedodd y Cymry yn amyneddgar. Gadawsant i'r marchogion groesi, a ffurfio rheng ar fin y dŵr a gadawsant i hanner y milwyr traed ddod ar y bont, ac yna dyma gawod o saethau o'r coed a'r creigiau serth uwch y traeth. Roedd mantais y tir gan y Cymry ac erbyn hyn roedd y llanw'n troi a'r afon yn llenwi'n gyflym.

Doedd ceffylau yn dda i ddim i ymladd mewn coed a chreigiau ac roedd ymosodiad y Cymry mor ffyrnig nes y ceisiodd rhai marchogion ffoi yn ôl am Fôn. Aeth yn draed moch ar y Saeson a'r Normaniaid – roedd hanner y fyddin yn ceisio croesi, yr hanner arall yn ceisio croesi'n ôl a'r dŵr yn codi o hyd. Boddwyd neu lladdwyd rhan helaeth o fyddin Edward a bu'r Cymry'n dathlu buddugoliaeth fawr ym Moel y Don.

Moel y Don

Mae'r gaeaf gwyn yn cnoi ym Moel y Don
Ond mae hi yn gyfforddus yma, bron:
Mae'r ŷd mewn ysguboriau
A'r felin wrth y tonnau;
Ac mae rhyw heddwch bach ym Moel y Don.

Mae'r mwg fel ysbryd du dros Foel y Don,
Pob stordy, tŷ a chist, pob tas fach gron
Dan fflamau noeth y gelyn;
Ac mae holl wlad Llywelyn
Yn ofni poen y llwgu ym Moel y Don.

Mae codi pont ar gychod ym Moel y Don
A rhaffau cryfion sydd am styllod hon;
Mae byddin o farchogion
Yn disgwyl wrth yr afon,
Mae'r glannau i gyd yn crynu ym Moel y Don.

Amynedd ydi'r gair ym Moel y Don,
A disgwyl mae pob bwa a gwaywffon;
Pan gododd nerth y llanw,
O'r coed y bore hwnnw
Daeth saethau tân y Cymry ar Foel y Don.

Roedd gwaed yn cochi'r Fenai ym Moel y Don,
A chiliodd y Normaniaid o Foel y Don;
Mae balchder yn y galon
Mai tarian creigiau Arfon
Sydd wedi cario'r dydd ym Moel y Don.

Claddu Llywelyn ein Llyw Olaf

Roedd y tywysogion Cymreig yn noddi nifer o fynachdai (neu abatai) yn eu taleithiau drwy roi tiroedd ac arian, adeiladau, hawliau pysgota a melinau iddynt. Y 'mynaich gwyn' oedd eu hoff urdd ac mae nifer o'r tywysogion wedi'u claddu yn yr abatai hynny – Aberconwy, Glyn y Groes, Ystrad Fflur, Hendy-gwyn ar Daf a Thal-yllychau. Ym Maesyfed y saif olion Abaty Cwm-hir ac yno y claddwyd gweddillion Llywelyn ein Llyw Olaf. Lladdwyd Llywelyn mewn sgarmes fer ar gyrion brwydr yng Nghilmeri yng nghanolbarth Cymru ar 11eg Rhagfyr, 1282. Torrwyd pen y tywysog a'i roi ar bigyn ar Dŵr Llundain. Dyna falch oedd brenin Lloegr o gael gwared â Chymro oedd wedi bod yn ddraenen yn ei ystlys cyhyd. Disgynnodd cwmwl du o dristwch dros Gymru gyfan ond mentrodd rhai o ddilynwyr Llywelyn gludo ei gorff yn ddirgel i'w gladdu ar dir sanctaidd mewn cwm gwledig, diarffordd – tir Abaty Cwm-hir.

Heddiw, mae tawelwch a naws arbennig i'w glywed yng Nghwm-hir. Adfeilion a charreg goffa sydd yno, ond eto mae rhywbeth yn ein tynnu i ymweld â'r lle, i gofio'r gorffennol. Mae rhywbeth wedi aros, er bod cymaint wedi'i golli.

Abaty Cwm-hir

Mae Hydref yn y coed yn frith,
Mae godrau'n jîns ni'n wlyb gan wlith
Wrth lithro'n flêr i lawr y bryn
Er mwyn cael gweld y cerrig hyn.

Yn y cwm, mae'r bore'n hir,
Y tawch yn ddiog dros y tir;
Mae'r waliau'n llawn o lygaid gwyn
Pan awn i weld y cerrig hyn.

Wfftio at ein busnesu ffôl
Mae'r cesig coch sy'n pori'r ddôl,
Gan godi'u pennau, sbio'n syn,
Pan awn i weld y cerrig hyn.

Mae'r hanner haul yn darllen iaith
Y llechen gyda'i geiriau llaith;
A mynaich maen sydd wrth y llyn
Pan awn i weld y cerrig hyn.

Dim ond stori o'r dyddiau gynt,
A gaeaf arall yn y gwynt
A gwich y giât wrth gau yn dynn
A'r cerrig hyn, y cerrig hyn.

Plant y Tywysogion

Doedd meddiannu gwlad y Cymry a chwalu tai a chestyll ei thywysogion ddim yn ddigon yng ngolwg Edward I. Roedd yn rhaid iddo hefyd chwalu ei dyfodol hi. Ac mae'r dyfodol bob amser yn nwylo'r plant.

Roedd gan Llywelyn ap Gruffudd un ferch – Gwenllïan. Ganwyd hi ar 12 Mehefin 1282, chwe mis cyn i'w thad gael ei ladd mewn cyrch sydyn yng Nghilmeri ar 11 Rhagfyr. Roedd Eleanor, mam Gwenllïan, wedi marw yn fuan ar ôl rhoi genedigaeth. Hi oedd yr unig blentyn, ac o fewn ychydig fisoedd o gael ei geni roedd hi'n blentyn amddifad yn y llys yn Abergwyngregyn, ger Bangor.

Dafydd, brawd Llywelyn, a dderbyniodd y teitl 'Tywysog Cymru' ar ôl Cilmeri. Roedd y byddinoedd enfawr yr oedd Edward wedi'u prynu bellach yn chwalu drwy bob cwm a dyffryn yn Eryri, yn lladd a difetha, a syrthiodd cestyll y Cymry o un i un – Dolwyddelan, Cricieth, Y Bere, Dolbadarn. Ym Mehefin 1283, daliwyd Dafydd ap Gruffudd ac ym mis Hydref cafodd ei lusgo y tu ôl i geffylau drwy

strydoedd Amwythig at farwolaeth erchyll.

Roedd Elizabeth, gwraig Dafydd, wedi'i charcharu yng nghastell Rhuddlan – ynghyd â'u dau fab a'u saith merch. Owain (7 oed) a Llywelyn (4 oed) oedd enwau'r meibion ond does gennym ni ddim ond enw un o'r merched – Gwladus.

Er mai dim ond plant oedd ar ôl wedi lladd y ddau dywysog, roedd Edward yn dal i'w hystyried yn fygythiad. Gwyddai o'r gorau fod y Cymry yn eu calonnau eisiau parhau yn annibynnol oddi wrth grafanc Normaniaid Llundain. Gwyddai y gallai'r plant hyn dyfu a dod yn fygythiad i'w fyddinoedd unwaith eto, gyda Chymru gyfan yn barod i frwydro er mwyn ailfeddiannu'r wlad.

Yn Nhachwedd 1283 anfonodd Edward ferched Dafydd i Briordy Sixhills yn swydd Lincoln a Gwenllïan i Briordy Sempringham yn yr un sir. Dyma'r gornel bellaf ar draws gwlad o Wynedd – byddai'n ddyddiau maith o daith y dyddiau hynny. Cadwyd y merched yn gaeth a'u gorfodi i fod yn lleianod – a dydi lleianod ddim yn cael priodi na chael plant. Roedd y priordai hyn yn gwahardd

Dim ond plant

Gwenllïan o Abergwyngregyn;
Gwladus ac Owain a Llywelyn.

Plant heb hwyl, heb helynt –
'Hisht' yn gofalu amdanynt.

Plant heb fystyn eu coesau,
Dim ond cawell bren a waliau.

Plant heb glywed atebion
Ond gwich wrth droi y cloeon.

Plant yn nwylo'r gelyn;
Plant heb nabod plentyn.

Plant y nos yn wylo
A phawb yn chwarae cuddio.

Gwenllïan o Abergwyngregyn;
Gwladus ac Owain a Llywelyn.

sgwrsio ac mae'n bosib bod y chwiorydd wedi eu cadw ar wahân – heb fod yn gwmni nac yn gysur i'w gilydd hyd yn oed. Bu farw Gwladus yn y lleiandy yn 1336, wedi treulio 53 blynedd yno. Flwyddyn yn ddiweddarach, bu farw Gwenllian ei chyfnither yn lleiandy Sempringham.

Aed ag Owain a Llywelyn, meibion Dafydd, i'w cadw mewn daeargell yng ngharchar castell Bryste yng Ngorffennaf 1283. Cawsant eu cadw yno tra buont fyw. Bu farw Llywelyn yn fachgen naw mlwydd oed. Yn 1312, ysgrifennodd Owain druan – ac yntau wedi ei gaethiwo mewn cawell bren yn y gell yn y carchar – lythyr at y brenin Edward yn gofyn a gâi ei ryddhau am ychydig bob dydd er mwyn cael mynd allan i chwarae o fewn muriau'r castell. Erbyn hynny roedd Owain yn 36 oed. Roedd yn dal yno pan oedd yn 49 oed. Ni chofnodwyd pryd y bu farw.

Wedi 1282

Er bod lladd Llywelyn yng Nghilmeri yn 1282 yn ergyd drom i arweiniad y Cymry, ni chafodd y Normaniaid eu ffordd eu hunain yn ein gwlad. Bu sawl gwrthryfel yng Nghymru rhwng 1282 a 1316, a disgynnodd nifer o'r cestyll newydd i ddwylo'r Cymry oedd eisoes wedi hen ddiflasu ar drefn ormesol y Normaniaid.

Yr arweinydd cyntaf i wrthryfela yn erbyn y rhai a feddiannodd ein gwlad oedd Rhys ap Maredudd o'r Deheubarth. Yr Arglwydd Rhys oedd ei hen daid a chastell Dinefwr ger Llandeilo – un o dri phrif lys brenhinol Cymru – oedd canolfan Rhys ap Maredudd yn ogystal.

Gorfododd Edward I i Rhys ildio castell Dinefwr gan honni mai ef bellach oedd gwir berchennog y Deheubarth. Symudodd Rhys o Ddinefwr i gastell y Dryslwyn, ychydig yn is i lawr Dyffryn Tywi. Ond yn 1283, mynnodd Edward mai ef oedd perchennog y Dryslwyn yn ogystal. Aeth yn ffrae ac aeth y ffrae yn wrthryfel erbyn 1287.

Cododd Cymry Dyffryn Tywi y tu ôl i Rhys gan feddiannu eu tiroedd traddodiadol. Cipiodd Rhys a'i ddilynwyr gestyll Dinefwr a Charreg Cennen a Chastell Newydd Emlyn oddi ar y Normaniaid. Cafodd ei gornelu yng Nghastell Newydd Emlyn yn 1288 a disgynnodd hwnnw i luoedd brenin Lloegr wedi deng niwrnod o warchae.

Ond roedd Rhys eisoes wedi dianc! Bu'n byw ar herw yng nghoedwigoedd a bryniau sir Gaerfyrddin am dair blynedd.

Y brenin a'r bryniau

'Ildia, Gymro styfnig,
Ildia, Rhys,'
Meddai'r brenin.
'Dyma fy llys,
Dyma waliau cadarn a ffos,
Dyma neuadd a gwledd bob nos,
Dyma gaer fy nhrysor arian
Dim ond am fy mod yn Norman.'

'Dal ati, Gymro gwrol,
Dal ati, Rhys,'
Meddai'r bryniau.
'Dyma dy lys:
Dyma gân y nant yn dy galon,
Dyma greigiau rhag gelynion,
Dyma lafn yr haul yn disgleirio
Dim ond iti fod yn Gymro.'

'Ildia, Gymro,' meddai'r brenin.
'Mae gennyf garchar i ti.'

'Dal ati, Gymro,' meddai'r bryniau.
'Mae hon yn wlad i ni.'

Edward I yn garcharor yng Nghonwy

Roedd llawer yn credu bod y diwedd wedi dod ac y byddai Cymru'n cael ei llyncu gan frenin Lloegr wedi lladd Llywelyn ap Gruffudd yng Nghilmeri. Llifodd byddinoedd o Gaer i ogledd Cymru gan dorri ffyrdd drwy goedwigoedd gwyllt a dechreuwyd ar y gwaith o godi cestyll.

Nid oedd Edward yn credu y byddai un castell yn ddigon i sicrhau rheolaeth dros y Cymry. Meddiannodd hen gestyll a'u cryfhau yn Rhuddlan, Dinbych a Chricieth; cododd gyfres o gestyll newydd na welwyd eu tebyg drwy'r byd yn y cyfnod hwnnw – yn Rhuthun, y Fflint, Conwy, Caernarfon, Harlech ac ym Miwmares. Roedd y gost yn anferthol – bu bron i goron Lloegr fynd yn fethdalwr. Ar ôl y fath raglen adeiladu, Cymru yw'r wlad fwyaf castellog yn Ewrop.

Ond nid oedd Edward yn bodloni ar gestyll yn unig i lochesu ei filwyr. Roedd eisiau newid iaith a newid arferion y Cymry – roedd eisiau eu gorfodi i gefnu ar eu diwylliant a'u cyfraith eu hunain.

I wneud hynny, gwyddai y byddai'n rhaid iddo ddenu llawer o Normaniaid a Saeson i fyw yng Nghymru, gan eu gwneud nhw'n fwy pwerus a dylanwadol na'r Cymry. Yr hyn a wnaeth oedd adeiladu trefi newydd wrth bob castell ac ymestyn y waliau caerog i amgylchynu'r trefi fel bod y trefi'n ddiogel rhag unrhyw ymosodiad.

Gwerthodd dir y Cymry'n rhad i'r bobl ddieithr hyn; ni châi'r Cymry brynu tir na thai yn y trefi castellog newydd – doedd y Cymry ddim hyd yn oed yn cael byw ynddyn nhw. Rhoddwyd mwy o hawliau masnachu i Saeson y trefi nag i'r Cymry lleol a gorfodwyd y Cymry i werthu eu nwyddau am y prisiau a gâi eu cynnig ym marchnadoedd y trefi. Ar ben hynny, rhoddwyd trethi trymion ar y Cymry i godi arian i'r brenin i dalu am y cestyll a'r llywodraeth filwrol newydd oedd yn y wlad. Cyfraith Lloegr, nid hen ddeddfau'r Cymry – Cyfraith Hywel Dda – oedd yn cael ei harfer yn y trefi. Roedd amryw o'r cestyll a'r trefi newydd hyn ar lan y môr, felly er bod y dyffrynnoedd y tu hwnt i'r muriau yn dal yn Gymreig a gelyniaethus i'r drefn newydd, gallai'r trefi gael eu gwasanaethu gan longau o'r môr.

Mae Conwy yn enghraifft dda o gynllun Edward – mae'r castell yn un eithriadol o gryf ar graig ger yr afon, gyda thyrau uchel a phorth mawr. Mae waliau cryfion o amgylch y dref a'r harbwr bychan yn yr aber. Mae'r cyfan yn awgrymu bod un gelyn pwerus wedi trechu'r llall yn llwyr.

Ond mae ochr arall i hanes Conwy. Yn 1294, pan nad oedd y dref yn ddim ond deg oed, cododd y Cymry mewn gwrthryfel yn erbyn cestyll a threfi newydd Edward. Ymosodwyd ar gestyll a threfi ym mhob cwr o Gymru. Trechwyd dwy fyddin o Saeson a yrrwyd yn eu herbyn. Daeth Edward â byddin arall ar frys gan groesi afon Conwy. Daeth glaw trwm a chwyddodd yr afon dros ei glannau gan atal rhagor o filwyr a nwyddau rhag croesi'r aber i atgyfnerthu'r brenin. Daeth Madog ap Llywelyn, arweinydd gwrthryfel y Cymry, â'i fyddinoedd o'r mynyddoedd i amgylchynu'r dref. Roedd yr amddiffynfeydd yn rhy uchel iddynt ddringo trostynt a'r hyn a wnaethant oedd gwersylla wrth bob porth oedd yn arwain i'r dref. Roedd y dref 'dan warchae' – heb fod neb yn medru mynd i mewn nac allan ohoni.

Yn raddol, aeth bwyd yn brin. Roedd ffynhonnau dŵr ar gael yn y dref ond ar ôl ychydig wythnosau doedd dim bwyd yno, dim ond potiau o fêl. Roedd y fyddin yn llwgu ac yn gwanio – ac roedd y brenin Edward ei hun yno hefyd, wedi dychwelyd i 'ddysgu gwers i'r Cymry'. Drwy'r argyfwng hwnnw, dim ond dŵr a mêl oedd cynhaliaeth y brenin balch a'i filwyr. Yn anffodus i'r Cymry, peidiodd y glaw a gostyngodd lli'r afon ac yn y diwedd gallai gweddill ei fyddin gyrraedd y dref gyda rhagor o filwyr a bwyd a chodi'r gwarchae.

Ond erbyn hynny roedd Edward I wedi sylweddoli nad oedd wedi concro'r Cymry. Dim

ond yr ychydig dir y tu ôl i waliau ei gestyll oedd
yn eiddo i'r brenin.

Y brenin yn ei gastell

Tachwedd dan y tyrau llwyd
Ac eisiau bwyd yn llethu'r fyddin;
Glaw a gwynt yn codi'n lli:
A'n castell ni yn garchar drycin.

Rwy'n wan ar ôl wythnosau hir
O weld y tir yn mynd o'n dwylo,
Dim ond ychydig fêl a dŵr
A llawer gŵr yn anobeithio.

Cymry sydd wrth byrth y dre,
Ni wn o ble y daw eu saethau;
Caernarfon, meddai'r newydd drwg,
Sy'n ddim ond mwg, yn chwâl ei muriau.

Methu ffoi drwy Benmaenmawr,
Daw creigiau i lawr yn gawod greulon;
Nôl yng Nghonwy, caeth yw hi
A dŵr Eryri'n llenwi'r afon.

Rwyf yma yn y neuadd wych
A 'ngheg yn sych a 'mol yn griddfan;
Mae'r Cymry wrth y muriau'n llu
A'r tywydd du tu allan.

Casáu'r cestyll a'r trefi

Diben y trefi newydd a'r cestyll oedd cadw'r Cymry yn dlawd, ac yn gaethweision i bob pwrpas, ar y tiroedd llwm tra byddai'r cyfoeth a'r grym yn nwylo'r rhai oedd wedi ymsefydlu yn y trefi caerog a hawlio'r wlad – sef y trefedigaethwyr. Y gobaith oedd y byddai'r Cymry yn rhy wan a thlawd i ryfela am annibyniaeth byth eto.

Ond roedd y Cymry'n casáu'r trefi newydd a'r cestyll. Yn 1400 gwrthryfelodd Owain Glyndŵr a'i ddilynwyr yn erbyn y drefn ond crëwyd nifer o ddeddfau ychwanegol gan lywodraeth Llundain oedd yn cosbi'r Cymry.

Bwriad y Deddfau Cosb oedd darostwng y genedl a'r Gymraeg a cheisio diffodd fflam y gwrthryfel. Mae hynny'n amlwg yn y cymal oedd yn gwahardd y beirdd rhag derbyn unrhyw nawdd yng Nghymru. Gwyddai'r awdurdodau am ddylanwad barddoniaeth ar y Cymry a'r effaith a gâi eu geiriau ar arweinwyr ac ar y werin. Roedd y beirdd yn atgoffa'r bobl o'u hanes, o'u gwrhydri ac yn cynnal y gobaith am ryddid. Hen gnafon am gorddi'r dyfroedd fu'r beirdd erioed ac felly roedd rhaid gwahardd eu cerddi. 'There shall be no rhymers in Wales,' meddai'r Deddfau Cosb, ond mae beirdd yn dal i ganu cerddi yn y Gymraeg.

Chei di ddim odli

Chei di ddim byw mewn tre;
Chei di ddim agor siop;
Chei di ddim prynu tir
Na mynd yn gop;
Dwyt ti ddim yn bodoli;
'Sgen ti'm llais i'w godi,
Ond gwaeth na hyn, fy mhlentyn gwyn:
Chei di ddim odli.

Chei di ddim deud y dylid dal brenin
Y Saeson a'i roi mewn cawl cennin
A'i ferwi, a'i ferwi
Nes 'i fod o'n drewi:
Achos chei di ddim odli.

Chei di ddim deud bod Dafydd Gam*
Yn llinyn trôns ac yn fabi mam,
Na llenwi'i goleri
Efo cacamwnci:
Achos chei di ddim odli.

Chei di ddim deud y rhown Gymru ar dân,
Y bydd creigiau'n atseinio ein cân
Cyn y talwn drethi
I gastellwyr Cydweli:
Achos mae hynny'n odli.

* *Perthynas i Owain, a bradwr iddo.*

Chei di ddim deud bod yr Arglwydd Grey**
Yn fochyn barus a'i bod hi'n ocê
Llenwi'i din efo paraffin
A'i losgi:
Achos chei di ddim odli.

Chei di ddim canu'n gaeth am ddod yn rhydd
Na darogan y daw'n ei ôl rhyw ddydd
Na cheisio llonni'r
Rhai sy'n digalonni:
Achos chei di ddim odli.

Ond cei sibrwd, dan dy wynt, wysg cefn dy law:
Owain, cannwyll brwydr; cist breuddwydion ddoe;
Fflach yn y drych ar wlad yfory,
Achos does 'na ddim odl yn hynny.

Dim ond barddoniaeth.

** Barwn castell a thref Rhuthun, lleidr tir a gelyn Owain.

Owain, yr Arweinydd Craff a Chyfrwys

Gwlad fechan yw Cymru a byddin fechan oedd gan Owain Glyndŵr, o'u cymharu â'r cyfoeth a'r pŵer Normanaidd Seisnig. Ond dysgodd Owain lawer am hen ddulliau'r Cymry o ddod dros anhawster maint. 'Os nad wyt gryf, bydd gyfrwys', medd yr hen air.

Defnyddiodd y tywydd yn graff. Weithiau, byddai mintai fechan o'i filwyr yn ymosod ar y gelyn yng nghanol storm o law taranau a yn cario'r dydd. Un tro roedd byddin ddwywaith mwy niferus na byddin y Cymry yn wynebu'i gilydd ar rostir Hyddgen uwchben Machynlleth. Roedd Owain wedi gosod ei filwyr â'u cefnau at y gorllewin a disgwyliodd nes bod yr haul yn isel ac yn llachar, ychydig cyn iddo fachlud, wedyn ymosododd yn gyflym a ffyrnig ar gefn ceffylau. Gyda'r haul yn eu dallu, llwyddodd i chwalu'r Normaniaid a chael buddugoliaeth ysgubol.

Defnyddiodd dir Cymru er ei fantais hefyd. Byddai bob amser yn ceisio meddiannu'r tir uchel fel ei bod hi'n golygu ymdrech i'r gelyn ddringo'r llethr i ymladd yn ei erbyn, neu'n rhoi mwy o ffyrnigrwydd a chyflymder i'w filwyr yntau wrth ruthro i'r gad fel ym mrwydr Hyddgen. Defnyddiai goedwigoedd a bylchau a chymoedd cul i ymosod a chilio'n sydyn.

Gwyddai am lwybrau cyflym dros y mynyddoedd a gallai ymosod yng ngogledd Cymru ar ddechrau'r wythnos ac yna yn y deheubarth ychydig ddyddiau'n ddiweddarach.

Rhwng popeth, aeth y si ar led ymysg byddinoedd y Normaniaid a'r Saeson bod yr Owain yma'n dipyn o ddewin, a'i fod hyd yn oed yn medru rheoli'r tywydd! Roedd ar y byddinoedd estron ofn hud a lledrith Glyndŵr.

Mae'r hanesyn nesaf yn dangos cyfrwystra Glyndŵr i'r dim.

Roedd Owain a'i gydymaith yn crwydro drwy dde Cymru yn casglu gwybodaeth am y Normaniaid a'u cestyll a faint o filwyr oedd ganddynt. Nid oeddent yn cario arfau ac roedd eu gwisgoedd a'u ceffylau yn rhoi'r argraff mai dieithriaid yn hytrach na Chymry oedden nhw. Dyma gyrraedd castell Coety ym Mro Morgannwg a gofyn i'r cwnstabl, Syr Lawrens Berclos, a allent gael lletty dros nos. Holi hyn yn Ffrangeg wnaeth Glyndŵr – roedd yn medru siarad nifer o ieithoedd, wrth gwrs.

Cafodd Owain a'i 'was' groeso mawr ac ar ôl bwyta'n dda y noson honno, difyrrodd Owain swyddogion y castell gyda llawer o hanesion a straeon diddorol. Cafwyd cystal hwyl nes bod Syr Lawrens Berclos yn daer am iddynt dreulio mwy na noson yn ei gastell. Bu'r ddau Gymro yno am dair noson. Fel hyn yr âi'r sgwrs rhwng Syr Lawrens hael a'i westeion:

'Da chi, arhoswch noson arall. Mae gen i finteioedd o filwyr yn cribinio'r wlad o amgylch am y gwalch Owain Glyndŵr a'i rapsgaliwns. Synnwn i ddim na fyddant wedi'i ddal erbyn fory ac fe gewch y fraint o weld y dihiryn mewn cadwynau yma yn fy nghastell i.'

Ac Owain yn ateb:

'Gweld Owain yma yng nghastell Coety? Mi fyddai hynny'n rhoi boddhad mawr i mi, Syr Lawrens! Fedra i ddim disgwyl tan y bore i weld y cena drwg yn eich gofal chi.'

Wedi tair noson o chwarae mig fel hyn, penderfynodd Owain y byddai'n mynd ymlaen ar ei daith. Roedd wedi godro llawer o wybodaeth ddefnyddiol am ei elynion drwy siarad Ffrangeg coeth gyda chwnstabl y castell. Cyn marchogaeth drwy'r porth, trodd at ei letywr ac ysgwyd ei law gan ddweud,

'Gyda llaw ar fy nghalon, Syr Lawrens Berclos, ni wnaf fyth unrhyw ddrwg na dial arnoch am ddweud yr holl bethau cas yna amdanaf. Yr wyf i, Owain Glyndŵr, yn ysgwyd eich llaw ac yn diolch ichi am y croeso boneddigaidd a roesoch i mi a'm cydymaith. Dydd da ichi.'

Trawyd Syr Lawrens yn hollol fud yn y fan a'r lle ac yn ôl yr hanes, ni ddywedodd air o'i ben fyth wedyn.

Geiriau olaf Glyndŵr yng nghastell Coety

'Diolch am dy rybudd, Berclos ysblennydd,
Mor ddoeth yw dy eiriau di;
Mor wir bod rhaid cymryd gofal
Wrth grwydro dros fryniau anial
Rhag ofn i'r Glyndŵr benfeddal
Ddigwydd ein cyfarfod ni.

'Diolch am newyddion, Berclos ffyddlon,
Mor braf cael dy sicrwydd di
Bod deucant dewr o Normaniaid
Yn chwilio'r holl wlad fel bytheiaid
Ar drywydd Glyndŵr a'i benbyliaid,
A'u bod yno i'n hamddiffyn ni.

'Am lety, rwy'n ddiolchgar, Berclos groesawgar,
Am wleddoedd a gwinoedd di-ri;
O fewn dy gadarnle lluniaidd
Tu ôl i'r holl waliau cawraidd,
Braint oedd cael cwmni gwaraidd;
Mor wych bod yr un ochr â thi.

'Diolch am ein tywys, Berclos ddibetrus,
Drwy ddirgelion dy gastell di,
Am ddangos cyfrinachau'n eiddgar
A'r pydew yn nhŵr y carchar
Lle teflir y Cymry rhyfelgar,
Mae'r cyfan mor glir i ni.

'*Wrth ddiolch iti'n barchus, Berclos wybodus,*
Addewid a roddwn i ti:
Pan ddof i, Glyndŵr, â'm byddin
A chwalu dy gastell yn bwdin,
Cei dithau dy drin fel brenin
Oherwydd dy groeso i ni!'

Llythyr Pennal

Mae'r llythyr hwn – llythyr Lladin oddi wrth Owain Glyndŵr, Tywysog Cymru at Siarl VI, Brenin Ffrainc – yn ddogfen hynod a gwerthfawr dros ben. Dyma'r peth agosaf sydd gennym at glywed llais Owain yn siarad â ni ar draws y canrifoedd. Mae'n dangos dawn Owain fel arweinydd ar wlad newydd, yn trafod gydag arweinydd arall o Ewrop. Caiff y memrwn gwreiddiol ei gadw'n ddiogel mewn amgueddfa ym Mharis ond cafodd ddychwelyd i Gymru ar gyfer dathliadau 600 mlwyddiant gwrthryfel Glyndŵr yn 2000.

Dyddiad y llythyr yw 31 Mawrth 1406 a chafodd ei ysgrifennu ym mhentref Pennal, rhwng Machynlleth ac Aberdyfi. Derbyniodd Glyndŵr lythyr oddi wrth Siarl VI ar 8 Mawrth yn gofyn am ei gefnogaeth i sefydlu Pab yn Avignon yn Ffrainc. Roedd y Ffrancwyr a'r Cymry eisoes ar delerau da gyda llysgenhadon yn cadw cysylltiad cyson rhwng y ddau arweinydd. Daeth cynrychiolwyr o Ffrainc i seneddau Glyndŵr ac yn Awst 1405, anfonwyd llynges a miloedd o filwyr o Ffrainc i ymladd ochr yn ochr â'r Cymry. Ac yn awr dyma Owain yn galw senedd arall ynghyd ym Mhennal i drafod cynnwys ei ateb i gais Brenin Ffrainc.

Wrth gefnogi'r Ffrancwyr, mae Glyndŵr – a senedd y Cymry – yn dangos bod ganddo gynlluniau dewr a phwrpasol i sicrhau dyfodol llewyrchus ac annibynnol i'w wlad. Yn y llythyr dywed ei fod am gael gwared â Harri, brenin Lloegr – 'y tresmaswr o deyrnas Lloegr' fel y mae'n ei alw – ac mae'n condemnio gweithredoedd 'lloerig y Sacson barbaraidd'.

Rhaid cofio bod cyfraith Lloegr wedi cyhoeddi deddfau cosb yn erbyn y Cymry, wedi'u gwahardd rhag dal swyddi nac eiddo yn nhrefi'r cestyll, eu rhwystro rhag amddiffyn eu hunain a'u rhwystro rhag defnyddio'r Gymraeg gan eu trin fel estroniaid yn eu gwlad eu hunain. Yr hyn a gawn yn Llythyr Pennal yw uno'r Cymry i feddiannu a rhyddhau eu tir traddodiadol, cynnal eu senedd a derbyn y cyfrifoldeb dros eu dyfodol eu hunain. Dyma weledigaeth am Gymru newydd, heb gestyll gormesol ond gyda'i harchesgobaeth ei hun yn Nhyddewi, prifysgolion annibynnol, y Gymraeg yn iaith cyfraith a llys a senedd i leisio barn y bobl.

Ceir hyn oll yn Llythyr Pennal, dogfen hanesyddol lle mae cenedl y Cymry yn adfer ei hunan-barch ac yn hyderus bod dyfodol disglair ganddi.

Gwelaf wlad

Gwelaf wlad, meddai'r bugail,
heb ynddi ofn sŵn carnau'r cestyll o hyd,
lle caf farchnad deg
a heddwch wrth dyfu'n rhan o fy myd.

Gwelaf wlad, meddai'r mynach,
sy'n gweddïo'n Gymraeg ar ei Duw,
yn addysgu'i phlant i fentro
a'u hadau dawn yn cael modd i fyw.

Gwelaf wlad, meddai'r milwr,
a haearn yn ei chalon hi,
yn gwarchod pob dyffryn a chwm
rhag blaidd a hebog, newyn a lli.

Gwelaf wlad, meddai'r tywysog,
a'i phobl yn gyngor o ddydd i ddydd,
y dadlau'n frwd dros gyfiawnder,
a lle i bob barn mewn senedd-dy rhydd.

Gwelwn wlad, meddwn ninnau,
yn codi o femrwn ac inc Glyndŵr,
llythyr ar draws y canrifoedd
a'r geiriau'n creu llun o freuddwyd gŵr.

Yr Hedydd yn cilio

Er i weddillion byddin Owain Glyndŵr gilio i'r mynyddoedd a'r ogofâu ar ôl pymtheng mlynedd o ryfela, ni ddaliwyd Owain.

Anfonwyd milwyr, ysbiwyr a lleiddiaid cyflogedig o Loegr i geisio'i gornelu neu ei ddifa, ond ni lwyddwyd i gyflawni hynny. Cynigiwyd arian enfawr am wybodaeth amdano, ond ni chafodd ei fradychu gan ei gyd-Gymry. Gwrthododd dderbyn amodau brenin Lloegr ac ni fynnai bardwn coron estron. Ciliodd, yn gyntaf ar herw, ac yna aeth i guddfan ac ni ŵyr neb eto i sicrwydd pa bryd yn union y bu farw nac ymhle y claddwyd ef. Trodd ei hanes yn chwedl a chadwodd ei enw yr ysbryd annibynnol Cymreig yn fyw.

Mae geiriau y croniclydd Cymreig wrth sôn am y cyfnod olaf hwn yn llawn arwyddocâd: '1415: Aeth Owain i guddfan ar Ŵyl Fathew yn y Cynhaeaf, ac o hynny allan ni wybuwyd ei guddfan. Rhan fawr a ddywed ei farw, a brudwyr a ddywedant na bu.'

Y beirdd proffwydol oedd y 'brudwyr' a dalient hwy i sôn fod Owain am godi i arwain ei genedl eto: 'Myn Duw, mi a wn y daw'. Am genedlaethau ar ôl y gwrthryfel, mynnodd llawer o'r Cymry fyw ar herw o hyd yn hytrach nag ildio i drefn a chyfraith y Saeson. Ni chanodd yr un bardd gerdd goffa i Glyndŵr ac

mae hynny'n dweud llawer iawn. Mae straeon llafar gwlad yn dal i fynnu bod ysbryd Owain yn fyw yn y tir o hyd.

Y mae pennill – hen, hen bennill – ar gael, fodd bynnag, sy'n dwyn y teitl 'Marwnad yr Ehedydd'. Yn ôl un traddodiad, Glyndŵr ei hun

neu un o filwyr Glyndŵr oedd yn dal ar herw yw'r 'hedydd' yn y gân. Mae'r pennill cyntaf yn draddodiadol ond y chwedl piau'r gweddill.

Mawl yr Hedydd

Mi a glywais fod yr Hedydd
Wedi marw ar y mynydd
Ac mi ochneidiai gŵr y geiria
Na fydd mwy o wŷr ag arfa
Pan gyrchwn gorff yr hedydd adra.

Erbyn hyn mae'r haf hirfelyn
Wedi troi i'r niwl ers meityn
A phrin yw'r un sydd ar adenydd
Yn herio'r dydd, waeth be fo'r tywydd,
A chodi'i gân uwch ben y gweunydd.

Mi a glywais rai yn sibrwd
Fod y nyth yn awr yn siwrwd,
Bod y bwncath ar y bannau
A bod holl dywyllwch angau
Yn ei lygaid a'i grafangau.

Mae 'na lygaid ar Bumlumon,
Mae 'na hela 'Nghoed Glyn Cynon,
Does 'na'm deryn rhydd ym Mawddwy,
Yr un carw yn Nanconwy,
Na'r un eog yng Nglyndyfrdwy.

Ond mi glywais air bach tawel,
Dim mwy na sgwrs y grug a'r awel,
Oedd yn deud, fel deud telyneg,
Heb un sill ohoni'n Saesneg,
Fod yr Hedydd eto'n hedeg.

Dafydd ap Siencyn

Gŵr anturus iawn oedd Dafydd ap Siencyn o Nant Conwy. Roedd yn byw rywbryd rhwng 1430 ac 1495, sef y cyfnod ar ôl rhyfel annibyniaeth Owain Glyndŵr. Difethwyd bron pob tref yng Nghymru yn ystod y rhyfel honno – ymosododd Owain a'i fyddin ar gestyll a threfi'r Normaniaid a'r Saeson, ac ymosododd byddinoedd y brenin ar drefi a thai'r Cymry. Roedd Nant Conwy yn ferw o gefnogaeth i Glyndŵr – o'r ardal hon y deuai'r ddau frawd Rhys Gethin a Hywel Coetmor oedd ymysg prif gadfridogion ei fyddin. Daeth byddin o Saeson drwy Ddyffryn Conwy yn 1403 gan losgi Llanrwst i'r llawr. Ffodd y bobl leol i'r coed a'r bryniau gan fyw 'ar herw' – byw yn arw, y tu allan i'r gyfraith, yn yr awyr agored ac yng nghysgod coed y llechweddau. Er i'r rhyfel ddod i ben, bu llawer o Gymry yn dal i fyw ar herw hyd ymhell ar ôl 1500 a chaent eu nabod fel 'Plant Owain'.

Un o 'blant Owain' oedd Dafydd ap Siencyn, gyda llu o herwyr Nant Conwy yn ei gefnogi. Roeddent yn byw mewn ogof yng nghlogwyn Carreg y Gwalch ac o dro i dro byddai criw o filwyr o gastell Conwy yn dod i chwilio amdano. Ond roedd Dafydd yn bencampwr ar y bwa hir!

Carreg y Gwalch

Nid oedd y Cymry'n bobl soffas erioed:
Yn oes y carw gwyllt, roedd Gwalch yn y coed.

Ei glogyn llaes yn wyrdd fel dail ynn
A chlogwyn oedd ei gartre fan hyn.

Castell o graig yn codi uwch y ddôl
A'r derw, na fentrai byddin ar ei ôl.

Castell hardd ei groeso i gyfeillion;
Clogwyn hyll ei godwm i elynion.

Roedd criw fan honno'n byw mewn ogof gudd
A'r criw i gyd, fel yntau, 'n ddynion rhydd.

Plant hen fflam Glyndŵr, medd rhai. Ond cnafon
Yn ôl cyfreithiau'r gaer wrth geg yr afon.

Dafydd ap Siencyn, gyda'i fwa a saeth,
Yn gwrthod ildio i fod yn Gymro caeth.

'Talwch dreth i'r Sais,' meddai swyddog balch;
'Gwell gen i wledd cig carw,' atebodd y Gwalch.

A'r diwedd fu i filwyr – mintai gref –
Ddod i Lanrwst a chwilio strydoedd y dref

Am rywun fyddai'n fodlon arwain y llu
Drwy'r coed a'r creigiau at geg yr ogof ddu.

Drysau'n cau oedd ateb y dref. Pob stryd
Yn wag wrth eu gweld, a neb yn dweud dim byd.

'Wfft i'r Cymry mud!' meddai'r Capten dig.
'Dacw'r graig lle maen nhw'n chwarae mig –

'Dim ond croesi'r afon, mynd drwy'r coed
A'u dal a'u lladd – yr hawsaf peth erioed!

'Ond mae hi'n amser cinio. Mae'n well, mae'n siŵr,
Inni dorri'n newyn yr ochr draw i'r dŵr.'

Eisteddodd cylch o filwyr ar lawr y glyn
A chariwyd clamp o bastai gyda hyn

A'i gosod ar y garthen yn y canol.
Yna, trodd naws y dydd yn wahanol –

Distawodd cân yr adar. Dechreuodd oeri
Ac roedd dau neu dri yn llyncu'u poeri.

Fel roedd pawb yn disgwyl rhywbeth gwaeth ...
Clywyd ar draws y dyffryn si un saeth.

Gwelwyd hi'n dod o'r graig, ac yna i lawr
I ganol toes a chig y bastai fawr.

Chwarter milltir o ergyd! I drwch y blewyn!
Anghofiodd Capten y milwyr dewr ei newyn –

Rhuthrodd am ei farch a gadael y ddôl
A'r fintai gyfan ruthrodd ar ei ôl

Gan adael y Gwalch a'i ddynion yn y coed
A'r creigiau gwyllt, sy'n eiddo'r Cymry erioed.

Y Ddeddf Uno

Yn 1536, penderfynodd yr awdurdodau yn Llundain uno Cymru â Lloegr. Nid pont yn cysylltu dwy lan afon oedd y ddeddf hon – nid cyfle i roi a derbyn a chreu cyfle teg i bawb. Na, cryfhau gafael Lloegr ar Gymru oedd y bwriad – gwneud Cymru yn debycach i Loegr. Mewn gwirionedd, y bwriad oedd dileu, diddymu, cael gwared ar Gymru.

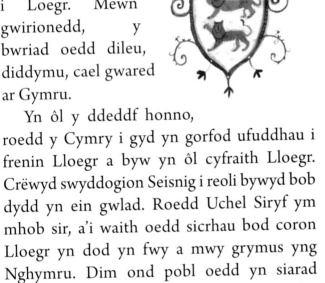

   Yn ôl y ddeddf honno, roedd y Cymry i gyd yn gorfod ufuddhau i frenin Lloegr a byw yn ôl cyfraith Lloegr. Crëwyd swyddogion Seisnig i reoli bywyd bob dydd yn ein gwlad. Roedd Uchel Siryf ym mhob sir, a'i waith oedd sicrhau bod coron Lloegr yn dod yn fwy a mwy grymus yng Nghymru. Dim ond pobl oedd yn siarad Saesneg a gâi weithio mewn swyddi cyhoeddus yng Nghymru. Mewn gwirionedd, cafodd yr iaith Gymraeg ei gwahardd yn ei gwlad ei hun.

Cân yr Uchel Siryf

Ym mhob un sir drwy Gymru
Mae pethau mor ysblennydd:
Mae Dinbych nawr yn Denbigh
A Newquay yw'r Ceinewydd;
Unedig yw'r holl diroedd
O Holyhead i Dover,
Unedig dan un goron –
Yes Wales, your day is over!
   Mae Cymru'n awr yn un
   Â Lloegr fawr ei hun
   A minnau'n uchel ddyn.

Enillais ffafr fy mrenin
Am 'mod i'n siarad Saesneg,
Fy enw oedd ap Sionyn
Ond 'Jones' roed imi'n anrheg;
Yng nghanol Parrys, Powells
A Pritchards rwy'n trigiannu,
Mae'r plas yn dewis alaw
A honno rwy'n ei chanu.
   Mae Cymru'n awr yn un
   Â Lloegr fawr ei hun
   A minnau'n uchel ddyn.

Cyfiawnder Cyfraith Hywel
Sy'n awr yn anghyfreithlon,
Ni cheir trugaredd heddiw
Ond plygu i ddeddf y Saeson;
Mae gen i swyddfa bwysig
Mewn castell llywodraethol,
Mae'n 'Realm of England' yma,
Rwyf innau'n uchelgeisiol.
    Mae Cymru'n awr yn un
    Â Lloegr fawr ei hun
    A minnau'n uchel ddyn.

'Y mae'r Gymraeg,' dywedant,
'Yn anodd iawn i'w sgwennu,
A'i sŵn fel peswch bustach'
– Rwyf innau'n gorfod gwenu.
'Mae Cymru mor gyntefig –
Mae pawb yn gwisgo sachau!'
Rhaid dangos hiwmor, meddaf,
A nodio 'mhen o'u blaenau.
    Mae Cymru'n awr yn un
    Â Lloegr fawr ei hun
    A minnau'n isel ddyn.

Y Porthmyn Cymreig

Mae porfa dda yn nyffrynnoedd ac ar lawr gwlad Cymru – mae'r glaw cyson a gawn ni'n sicrhau hynny. Dyma wlad i'r dim i fagu anifeiliaid a does ryfedd ein bod yn enwog fel ffermwyr defaid, gwartheg a da godro.

Ers cannoedd o flynyddoedd mae galw wedi bod am gynnyrch ffermydd Cymru mewn trefi a dinasoedd poblog mewn gwledydd eraill. Erbyn hyn, bydd cig o Gymru'n cael ei anfon ar loriau anferth i Sbaen, yr Eidal, Rwsia a Ffrainc. Ond yn yr hen ddyddiau, cyn oes y rheilffyrdd hyd yn oed, roedd yn rhaid cerdded y gwartheg a'r defaid, y moch a'r gwyddau bob cam o Gymru i dde-ddwyrain Lloegr ar gyfer marchnadoedd Llundain.

Gwaith y porthmyn oedd gyrru'r da byw i Loegr a threfnu cael y prisiau gorau yn y marchnadoedd a dod â'r arian yn ôl adref i ffermwyr Cymru. Roedd yn rhaid cael trwydded arbennig i fod yn borthmon ac roedd cyfrifoldeb mawr yn perthyn i'r gwaith. Fel arfer byddai rhwng pedwar ac wyth porthmon yn teithio gyda'i gilydd, gyda nifer o weision ifanc a chŵn, gan yrru gyr o ryw 400 o wartheg ar hyd llwybrau garw dros y mynyddoedd o orllewin Cymru i wastadeddau Lloegr.

Câi'r gwartheg eu pedoli gan y gof lleol cyn cychwyn a byddent yn teithio rhwng 15 ac 20 milltir y dydd gan dreulio tua thair wythnos ar y siwrnai. Erbyn 1750 roedd tua 30,000 o wartheg yn cael eu gyrru fel hyn o Gymru bob blwyddyn.

Mae un o hen lwybrau'r porthmyn yn dechrau yn ardal Dyffryn Ardudwy ar lan y môr ym Meirionnydd, yn codi dros fynyddoedd y Rhinogydd, heibio gefail gof (ar gyfer pedoli) a thafarn o'r enw Llety Loegr ac yna'n dringo i fyny Bwlch y Rhiwgyr cyn croesi am ddyffryn Mawddach a Dolgellau.

Bwlch y Rhiwgyr

Yn Llety Loegr yr oedden ni neithiwr,
Bref yr eidion a thinc pedolwr
Ac Ifan Borthmon yng nghlust y tafarnwr.

Carreg filltir ar lwybr y mynydd,
Carreg olaf cyn croesi'r Rhinogydd
A'r bore'n bygwth y bydd hi'n dywydd.

Rhedeg y cyrn at Fwlch y Rhiwgyr
A'r gwynt o Werddon ar war creadur;
Bwncath yn galw o deyrnas yr awyr.

I fyny'r cwm mae'r cymylau'n isel,
Bysedd pinwydden ar y gorwel,
Waliau cam a murddun tawel.

Y dail yn hel yn afon Sgethin,
Sgwarnog ar wib am wâl yr eithin
Ond heulwen ar goeten Arthur Frenin.

Troi yn ôl cyn mynd o'r golwg
A llwybr y pennau duon yn amlwg
Yn mynd â fi'n ôl i draeth Llandanwg.

Teulu Gwydir

Un o'r teuluoedd bonedd Cymreig a enillodd ffafrau a chyfoeth mawr yn ystod Oes y Tuduriaid oedd teulu Wynniaid Gwydir, Dyffryn Conwy. Cawsant diroedd am gefnogi'r brenin a thrwy feddiannu hen eiddo Abaty Maenan. Ond roeddent yn ehangu eu stad drwy ddulliau anghyfreithlon a thwyllodrus hefyd.

Mae hanes yn lleol am un o'r Wynniaid yn rhoi pridd o ardd plasty Gwydir yn ei esgidiau o flaen ei gyfreithiwr. Yna aeth y ddau i sefyll mewn cae o flaen ffermwr lleol, a dywedodd yr uchelwr: 'Rydw i'n sefyll ar bridd Gwydir.' Cadarnhawyd hynny gan y cyfreithiwr ac ildiodd y ffermwr y cae i'r stad.

Ond mae stori leol hefyd am hen wraig yn dial ar un o deulu'r Wynniaid drwy roi melltith arno, ar ôl digwyddiad o'r fath. Yn ôl yr hanes sy'n cael ei hadrodd yn y faled hon, y diwrnod y gwelwyd y carw ar lawnt y plas oedd y diwrnod y bu farw'r Wynn arbennig hwnnw.

Hen Wraig a Wynn o Wydir

'Daw dial, Wynn o Wydir,
Am ddwyn fy mwthyn gwyn:
Y dydd bydd carw ar lawnt dy blas,
Dy ddiwedd di fydd hyn.

'Cei godi wal tair llathen,
Cei gau o gylch dy dir,
Ond daw y gwynt o Gonwy'n groch
Gan ddymchwel coed cyn hir.

'Ar doriad gwawr y bore
Bydd derwen ar ei hyd,
Bydd bwlch drwy'r wal i geirw'r coed,
Bydd diwedd ar dy fyd.

'O dan dy lofft bydd gwyllt yr allt
Ac angau rhwng ei gyrn;
Bydd heddwch braf drwy'r dyffryn
Ar ôl dy gastiau chwyrn.'

Aeth cryndod geiriau'r weddw
Drwy'i galon garreg gas;
Do, cododd wal – ond wedi'r storm
Daeth carw i lawnt y plas . . .

Cyfieithu'r Beibl i'r Gymraeg

Mae'r Gymraeg yn un o ieithoedd llenyddol hynaf Ewrop – roedd barddoniaeth yn cael ei ganu a'i ysgrifennu yn yr iaith ymhell cyn sgwennu yr un gair yn Saesneg, Ffrangeg nac Almaeneg na'r rhan fwyaf o'r ieithoedd eraill sydd ar ein cyfandir.

Eto, efallai mai'r orchest lenyddol fwyaf yn hanes y Gymraeg oedd cyhoeddi'r Beibl Cymraeg cyntaf. Roedd William Salesbury eisoes wedi cyfieithu'r Testament Newydd i'r Gymraeg yn 1567. Manteisiodd yr Esgob William Morgan, offeiriad plwy Llanrhaeadr-ym-Mochnant ar y pryd, ar waith ei ragflaenydd ond aeth ati i gyfieithu'r cyfan i Gymraeg llyfn ac urddasol, ei lywio drwy'r wasg a gweld ei gyhoeddi yn 1588.

Magwyd William Morgan yn Nhŷ Mawr Wybrnant, ger Penmachno a chafodd addysg

gynnar yn Nyffryn Conwy cyn derbyn nawdd teulu'r Wynniaid o Wydir i fynd i Brifysgol Caer-grawnt. Daeth yn arbenigwr mewn Groeg, Hebraeg a Lladin ond hefyd yn bencampwr ar iaith lenyddol beirdd Cymru. Bu wrthi'n cyfieithu'r Beibl am chwe blynedd gan greu rhyddiaith Gymraeg a ddaeth yn sail i destunau Cymraeg fodern.

Yn yr oes honno, roedd y Beibl newydd ei gyfieithu i'r Saesneg a châi ei ddarllen ar y Suliau ym mhob eglwys yng Nghymru. Dadleuai William Morgan ac eraill nad oedd y bobl yn cael unrhyw werth o hynny gan nad oedden nhw'n deall gair o Saesneg. Rhaid felly oedd cyfieithu'r Beibl i'r Gymraeg, meddai.

Nid oedd gwasg argraffu yng Nghymru bryd hynny ac roedd yn rhaid trefnu bod y gwaith yn cael ei wneud yn Llundain. Penderfynwyd rhoi Beibl Cymraeg ym mhob eglwys ym mhob plwyf yng Nghymru – ond nid oedd argraffwyr Llundain yn deall yr iaith!

Aeth William Morgan i Lundain yng nghwmni criw o borthmyn o Gymru. Treuliodd flwyddyn gron yn rheoli a golygu gwaith yr argraffwyr. Fel y porthmyn, dod â'r trysor adref i Gymru oedd ei fwriad yntau.

Roedd y Beibl newydd yn hawdd ei ddarllen ac yn brofiad cyffrous i gynulleidfaoedd yng Nghymru. Defnyddiodd William Morgan iaith urddasol a grymus a bu honno'n sail i nifer o awduron a sgwenwyr eraill yn y Gymraeg am ganrifoedd. Dysgodd cenedlaethau o bobl sut i ddarllen y Beibl Cymraeg a rhoddodd hynny hwb aruthrol i'r wasg Gymraeg.

Yn y Dechreuad

Yn y tywyllwch roedd gŵr a channwyll a gair
Yn chwilio am lwybrau Mathew a Moses a Mair.

Yn yr unigrwydd roedd papur a phluen a chwyr
Yn ysgwyd coed ffrwythau y berllan Gymraeg yn yr hwyr.

Yn y distawrwydd roedd clustiau a llygaid a llaw
Yn gwrando drwy'r hirnos ar iaith yn llefaru fel glaw.

Yn y dechreuad roedd dycnwch, dyhead a dawn
Yn drech na'r un blinder, a golau mewn geiriau a gawn.

Ysgolion Cylchynol Griffith Jones

Rhwng 1546 ac 1660 cyhoeddwyd 108 o lyfrau Cymraeg ond cyhoeddwyd 2,500 o lyfrau rhwng 1700 ac 1799. Dyna gynnydd anferthol – 25 o lyfrau'r flwyddyn yn hytrach na rhyw un! Roedd o leiaf un wasg argraffu ym mhob tref farchnad yn y wlad erbyn hynny a Chymraeg oedd prif iaith yr holl weithgaredd hwn. Fel mae'r we fyd-eang a'r cyfryngau cymdeithasol newydd yn ein dyddiau ni'n rhoi rhyddid inni hel a rhannu gwybodaeth, felly roedd y wasg argraffu yn rhoi deunydd darllen a thrafod ac yn agor drysau newydd yn y ddeunawfed ganrif.

Ni fyddai'r holl waith argraffu yma o ddim gwerth oni bai bod pobl yn medru darllen y llyfrau, y cylchgronau a'r cerddi oedd yn cael eu cyhoeddi. Digwyddodd rhywbeth eithriadol yng Nghymru yn ystod yr oes honno – dysgodd dros 300,000 o Gymry, yn oedolion a phlant, sut i ddarllen. Dyna dri chwarter poblogaeth y wlad. Erbyn diwedd y ganrif Cymru oedd y wlad fwyaf llythrennog yn Ewrop ac aeth sôn am ei chyfundrefn addysg ar led, gyda gwledydd fel Rwsia yn ceisio dynwared y llwyddiant a gafwyd yma i greu gwerin ddarllengar.

Un gŵr yn ei hanfod oedd yn gyfrifol am y gamp honno, sef Griffith Jones, Llanddowror

(1683–1761). Cafodd ei fagu yn ardal wledig gorllewin sir Gaerfyrddin ac ar ôl cyfnod yn ysgol y pentref, bu'n bugeilio defaid. Nid oedd addysg rad gan y wladwriaeth ar gael bryd hynny – dim ond plant roedd eu teuluoedd yn medru fforddio talu i'r ysgolion fyddai'n derbyn addysg. Llwyddodd teulu Griffith Jones i'w yrru i ysgol ramadeg Caerfyrddin yn ei arddegau ac yn bump ar hugain oed cafodd ei ordeinio i swydd yn yr eglwys. Roedd yn bregethwr grymus iawn, yn feistr ar y Gymraeg ac ar ei fynegi ei hun. Pregethai mewn mynwentydd am fod tyrfaoedd rhy niferus i faint yr eglwysi yn ymgynnull gan dreulio oriau yn gwrando arno.

Yn ei ganol oed, daeth Griffith Jones i'r casgliad nad oedd pregethu yn ddigon i addysgu'r werin. Sylweddolodd fod yn rhaid dysgu pobl gyffredin i ddarllen y Beibl a llyfrau eraill trostynt eu hunain. Nid braint i offeiriaid yn unig oedd y gallu i ddarllen. Trawodd Griffith Jones ar gynllun syml ond effeithiol, sef yr ysgolion cylchynol, ac yn 48 oed, ymroddodd i waith mawr ei fywyd er ei fod yn ddigon gwan ei iechyd. Ei gynllun oedd hyn: câi athro wahoddiad gan offeiriad neu berson mewn awdurdod i gynnal ysgol mewn adeilad addas mewn cylch arbennig yn y wlad am dri neu chwe mis rhwng Medi ac Ebrill, pan fyddai'n gyfnod distaw o safbwynt gwaith ar y tir. Hyfforddwyd yr athrawon yn Llanddowror gan Griffith Jones ei hun a byddent yn derbyn cyflog bychan o gronfa elusen. Ar ôl treulio tymor yno, byddai'r athro yn symud ymlaen i gylch arall, gyda'r disgyblion disgleiriaf wedyn yn cynnal yr ysgol wreiddiol ac yn aml yn mynd yn athrawon i gylchoedd cyfagos yn ogystal. Deuai plant ac oedolion i'r dosbarthiadau. Cynyddodd rhif yr ysgolion yn gyflym nes cyrraedd dros ddeucant y flwyddyn. Pan fu Griffith Jones farw, roedd dros 3,500 o ysgolion cylchynol wedi'u cynnal. Parhawyd â'r gwaith hwn gan yr Ysgolion Sul ar ôl hynny.

Yn ogystal â dod yn iaith i werin ddarllengar, enillodd y Gymraeg lawer o dir gan Gymreigio rhai o'r ardaloedd oedd wedi colli'r iaith ers cyfnod y Normaniaid – megis Bro Morgannwg.

Y Gof Geiriau

Daeth gof y pentref at y dosbarth heddiw,
Tynnu stôl ac eistedd arni'n drwm,
Estyn y Beibl Mawr fel petai'n bluen,
Gwrando, gan gadw'i fysedd du ynghlwm.

Edrychodd ar y print a gweld llinellau
Llonydd, rhydlyd fel tomenni'r gwaith
A chlywai sain llafariaid yr ystafell
Fel chwythiad megin, nid fel anadl iaith.

Ond cyn bo hir, roedd gwreichion yn ei lygaid,
Llaciodd y dwylo, gan ddilyn yn y man
Dro'r llythrennau, fel y byddai'n anwesu
Addurniadau haearn porth y llan.

Gwelodd, fel y gwelai'n nhân yr efail,
Y darnau'n asio o hen sgrap y byd;
Wrth droi o'r wers, roedd holl bedolau gloyw
Ei gytseiniaid yn canu dros y stryd.

Môr-Leidr o Gymru

Gwnaeth Robert Edwards o Gymru, a'i griw o fôr-ladron garw, gryn lanast ar fasnach llongau Sbaen ar ddechrau'r ddeunawfed ganrif drwy ymosod arnynt a dwyn eu trysorau. Daeth hyn i sylw'r Frenhines Anne oedd ar orsedd Lloegr ar y pryd – ond ennill gwobr, nid cael ei gosbi, fu tynged Robert y môr-leidr. Roedd Lloegr a Sbaen yn elynion ar y pryd ac yn ddistaw bach roedd coron Lloegr yn ddiolchgar iawn bod nifer o fôr-ladron yn creu cymaint o fygythiad i longau Sbaen.

Darn o dir ar ynys yn aber afon Hudson ar arfordir dwyreiniol America oedd gwobr Robert Edwards. Yn ôl yn y cyfnod hwnnw, 77 acer o fwd a chlai a thywod oedd yr anrheg. Erbyn heddiw, mae rhan isaf Broadway, Wall Street a gorsafoedd Hudson a Greenwich, Efrog Newydd, wedi'u hadeiladu ar hen dir y môr-leidr – mae'r erwau hynny yn rhan o Manhattan

ac yn werth 800 biliwn doler.

Nid oedd gan Robert Edwards ddiddordeb mewn adeiladu dinas. Rhoddodd y tir ar les 99 mlynedd i John a George Cruger ar y ddealltwriaeth y byddai'n dychwelyd i ddisgynyddion teulu Edwards ar ddiwedd y cyfnod. Dychwelodd Robert i Ewrop yn 1778, ond drylliwyd ei long mewn storm. Collwyd pob bywyd a phob eiddo yn y llongddrylliad, yn cynnwys dogfennau les y môr-leidr. Yn 1877 daeth y les i ben ar y tir yn Efrog Newydd a dechreuodd ymrafael ynghylch pwy oedd gwir berchnogion y safle.

Erbyn hynny, Eglwys y Drindod, Efrog Newydd oedd y meddianwyr a hyd yma mae'r sefydliad hwnnw wedi llwyddo i ymladd yn llwyddiannus yn erbyn teulu'r Edwardsiaid ar fater hawliau tir. Mae tair mil o ddisgynyddion yr Edwardsiaid yn America a dwy fil yng Nghymru wedi ceisio profi eu bod yn perthyn i'r hen fôr-leidr ac mai eu stad nhw ydi'r darn hwn o dir yn Manhattan.

Ar y llaw arall, mae llwyth o frodorion cynhenid America yn dwyn yr enw 'Manhattan' hefyd. Yn eu hiaith hwy, ystyr *manah* yw ynys ac ystyr *atin* yw bryniau – 'Ynys y Bryniau' yw Manhattan, felly. Yn ôl hen stori, gwerthodd eu cyndeidiau Ynys y Bryniau i fasnachwyr cynnar o'r Iseldiroedd am ychydig o fwclis. Ac mae rhai o'r hen deulu hwnnw hefyd eisiau pris teg am y tir erbyn heddiw.

Ynys y môr-leidr

Ai enw eich teulu yw Edwards?
A ydych yn Gymry o dras?
A hoffech gael arian
A darn o Manhattan?
Wel, dewch i ymuno'n y ras!

Môr-leidr oedd Robert – un ffyrnig,
A'i helfa oedd llongau o Sbaen;
Yn ôl yr hen hanes
Cafodd wobr gan frenhines –
Wel, dyna sut oes oedd o'r blaen.

Ei anrheg oedd saith deg saith acer
Ar ynys rhwng llanw a thrai,
Ond yno mae safle
Wall Street a Broadway:
Tir aur Efrog Newydd – dim llai!

Wyth can biliwn yw'r gwerth mewn doleri;
Yn un saith chwe dau, welwch chi,
Nid oedd ond mwd afon,
Rhyw laid glannau Hudson,
Nid ynys y trysor oedd hi.

Roedd Robert yn hwylio'n ôl adref
Ond rhoes naw deg naw mlynedd o les
I John a George Cruger,
Ac yna 'mhen amser,
I'w deulu a'u plant y dôi'r pres.

Llongddrylliwyd taith ola'r môr-leidr
Ac aeth ei holl fyd dan y don,
Fe gollodd ei fywyd
A'i ddogfen les hefyd –
Ei hawl ar y tir oedd ar hon.

Chwe brawd ac un chwaer oedd gan Robert:
Yn un wyth saith saith roedd eu hach
Yn troi at dwrneiod,
Ond Eglwys y Drindod
A gadwodd y plot yn slei bach.

Pum mil erbyn hyn ydi'r nifer
Yng Nghymru, America fawr
Sy'n honni mewn llysoedd
Eu hawl ar y tiroedd,
Mai nhw piau'r ffortiwn yn awr.

Ac felly os ydych yn 'Edwards',
O Benfro, o'r Cymoedd, o Gŵyr,
Yn hoff o fôr-ladron
A'r hen, hen hanesion,
Chi piau Manhattan – pwy ŵyr?

Ond 'Na!' meddai llais ar y morfa,
Mae 'manah' yn 'ynys' i mi,
Ac 'atin' yw 'bryniau' –
Mae'r tir a'i drysorau
Yn perthyn i'n hen deulu ni.

Cymru Newydd

Roedd 1650–1800 yn gyfnod pan aeth llawer o wledydd Ewrop i'r 'Byd Newydd' yng ngogledd America i chwilio am fywyd mwy rhydd. Yn Ewrop, roedd rhaniadau crefyddol, diwylliannol a chymdeithasol yn gwasgu ar sawl carfan o bobl a chododd dyhead newydd am ryddid.

Ond ffoi oedd dal llong i America yn ôl rhai eraill – roedd yn well edrych i weld a oedd modd newid pethau er gwell yn ein gwledydd ein hunain.

Bu adfywiad yn hanes yr eisteddfod yn y cyfnod hwnnw. Mae hen hanes am ornest farddol a cherddorol yn oes Maelgwn Gwynedd ac yna cynhaliwyd yr Eisteddfod gyntaf gan yr Arglwydd Rhys yn 1176. Cafodd traddodiad yr eisteddfod ei adfywio yn y ddeunawfed ganrif. Erbyn y 1730au, roeddent yn ddigwyddiadau gweddol gyffredin ac yn cael eu cynnal gan feirdd mewn tafarnau yn bennaf. Yn 1792 cynhaliodd Iolo Morganwg Orsedd y Beirdd ar Fryn y Briallu, Llundain gan geisio adfer cysylltiad â hen ddiwylliant y derwyddon Celtaidd. O 1819, unodd yr Orsedd a'r Eisteddfod a dyma ddechrau gŵyl ddiwylliannol genedlaethol a ddaeth yn senedd a phrifysgol i'r Gymraeg am gyfnod helaeth.

Pethau Iolo Morganwg

Tri pheth a gâr fy nghalon:
Yr iaith a'i hymadroddion,
Wyneb haul yn rhannu gwên
A chwmni hen englynion.

Tri pheth sydd yn fy mwriad
Yw cadw fy nghymeriad,
Galw 'hedd' a chodi hwyl
Yng ngŵyl ein gweddnewidiad.

Tri pheth mwy cas na'r cyfan
Yw brenin blin fel bwgan,
Celwydd gan arweinwyr gwlad,
Sarhad ar dalaith Morgan.

Tri pheth ni saif yn llonydd:
Dychymyg ar adenydd,
Cysgod maen ar ben y bryn
A deryn gwyn o brydydd.

Tri pheth sy'n amlwg imi:
Rhaid torri'r holl gadwyni,
Rhaid dod â'n hanes oll o'r gwyll
A sefyll mewn goleuni.

Diwydiant ym Merthyr Tudful

Newidiodd pethau mor gyflym wedi 1780 nes bod haneswyr yn cyfeirio at yr hyn ddigwyddodd fel 'chwyldro'. Roedd yr oes newydd yn troi ei chefn ar yr hen ffordd amaethyddol o fyw yng nghefn gwlad ac yn rhoi bri ar ddiwydiannau trymion fel haearn, glo a pheirianwaith. Dyma'r Chwyldro Diwydiannol a de-ddwyrain Cymru oedd un o ganolfannau cynnar y chwyldro hwnnw. Erbyn 1851 roedd dros hanner poblogaeth Cymru yn dibynnu ar ddiwydiant trwm fel copr, glo, llechi neu haearn a dur yn hytrach nag amaethyddiaeth. Amlwch oedd yn rheoli pris copr ar farchnadoedd y byd ac yn ddiweddarach Caerdydd oedd yn rheoli pris glo y byd. Golygai hynny mai Cymru oedd y wlad ddiwydiannol gyntaf yn y byd. Er bod nifer wedi ymfudo o Gymru i'r 'Byd Newydd', ar y cyfan llwyddodd y wlad i gadw'i phobl ifanc a mentrus o fewn ei ffiniau ei hun, gan greu ardaloedd diwydiannol oedd yn Gymraeg eu hiaith lle'r oedd diwylliant Cymreig yn ffynnu.

Ond roedd pris i'w dalu yr un pryd. Ym Merthyr Tudful, agorwyd nifer o weithfeydd haearn – Dowlais yn eu mysg. Newidiodd y dref yn llwyr. Roedd yn dref brysur, ddiwydiannol erbyn 1800, gyda 7,705 o bobl yn byw yno. Erbyn 1840, tyfodd y boblogaeth yn 35,000 a

hi oedd y dref fwyaf yng Nghymru. Roedd dros dair mil o Wyddelod ym Merthyr erbyn 1851, a'r enw ar un o'r rhannau butraf a thlotaf o'r dref oedd 'Chinatown'.

Teuluoedd o Loegr oedd perchnogion y gweithfeydd haearn – y Crawshays o swydd Efrog oedd y teulu mwyaf pwerus. Yn 1825 gwariodd

William Crawshay ffortiwn ar y pryd yn adeiladu Castell Cyfarthfa iddo ef a'i deulu – cartref moethus gyda 72 o ystafelloedd ynddo.

Er bod cyflogau da i'w cael yn y gweithfeydd haearn a bod teuluoedd wedi cael eu denu yno er mwyn osgoi tlodi a newyn yng nghefn gwlad Cymru, Iwerddon a rhannau o Loegr, roedd bywyd yn galed ym Merthyr. Codwyd rhesi o dai bychain yn rhy agos at ei gilydd heb ddŵr glân ac yng nghysgod y ffwrneisi haearn. Disgynnai mwg melyn y gwaith yn gymylau gwenwynig dros y dref a theflid sbwriel a charthion allan i'r stryd. Doedd neb yn glanhau'r stryd nac yn casglu sbwriel. Roedd pob man yn drewi'n ofnadwy a lledai heintiau ac afiechydon yn gyflym drwy'r dref.

Y tristwch mawr i'r teuluoedd oedd bod bywyd yn iachach ac yn well yn yr ardaloedd gwledig hynny yr oeddent wedi troi eu cefn arnynt. Erbyn iddynt dalu am eu hoffer yn y gwaith – talu am ganhwyllau er mwyn cloddio'r glo o'r pyllau hyd yn oed – a thalu pris uchel am nwyddau yn siopau'r cwmnïau, roedd llawer o'r gweithwyr mewn dyled ac yn gorfod gweithio'n galetach dan amodau caled.

Chinatown, Merthyr

Eira mân dan ddrysau cefn,
Babi'n crio'n las drachefn,
Angladd arall – dyna'r drefn
A'r gwynt yn oer o Ddowlais.

Dau yn ymladd ar y stryd,
Codi llais a dwrn o hyd,
Plant yn disgwyl am eu pryd
A'r gwynt yn oer o Ddowlais.

Oriau hir i brynu'r bwyd,
Bois yn cael eu dal mewn rhwyd,
Henaint mewn wynebau llwyd
A'r gwynt yn oer o Ddowlais.

Caeth i'r meistri uwch eu stad,
Talu am gael slafio'n rhad,
Hiraeth eto am gefn gwlad
A'r gwynt yn oer o Ddowlais.

Près-Gang ar Enlli

Roedd llawer o haearn Merthyr yn cael ei ddefnyddio i adeiladu ac arfogi'r Llynges Brydeinig ar gyfer ei rhyfeloedd ar draws y byd. Bu cyfnod hir o ryfela yn erbyn Ffrainc ar ddechrau'r bedwaredd ganrif ar bymtheg – ac roedd hynny'n golygu dipyn o waith i ffwrneisi Merthyr.

Ond er mwyn ymladd eu rhyfeloedd, mae ymerodraethau ar hyd y canrifoedd wedi gorfodi dynion i ymuno â'u lluoedd arfog. Enw ar y giwed fyddai'n gorfodi dynion yr arfordir i ymuno â'r Llynges Brydeinig ers rhyw bedwar can mlynedd oedd y près-gang. Dyna'r unig ffordd y gallent sicrhau digon o forwyr i ddioddef yr amodau caled a pheryglus ar eu llongau rhyfel fu'n brwydro ar foroedd y byd am gannoedd o flynyddoedd. Daeth yr arfer i ben ar ôl trechu Napoleon yn 1815.

Roedd cyflog llongwyr rhyfel yn isel iawn – tua hanner cyflog gweithwyr ar y tir ac ar longau masnachol. Roedd y bwyd a'r amodau byw yn arswydus – ac, wrth gwrs, roedd y perygl iddynt gael eu lladd yn uchel iawn. Er mwyn cael digon o ddynion, roedd gan y llynges gangiau garw i hel crwydriaid ac ambell feddwyn yn y tafarnau a'u llusgo i'r llongau rhyfel yn yr harbwr. O gael eu 'pres-gangio' fel hyn, byddent yn eiddo i'r llynges tra byddai eu hangen.

Yn ystod rhyfeloedd Napoleon, angorodd un o longau rhyfel anferth Prydain – 'man-o'-wôr' – ger Ynys Enlli. Doedd dynion yr ynys – dynion môr a dynion cychod bob un ohonyn nhw – erioed wedi gweld llong ryfel mor agos â hynny o'r blaen. Aethant yn eu cychod rhwyfo tuag ati ac wrth iddynt nesu, cawsant wahoddiad i'w byrddio ac i gael golwg iawn arni. Mewn diniweidrwydd, derbyniwyd y gwahoddiad.

Heb amau dim, dringodd dynion Enlli y rhaffau i fyny i'r dec. Dim ond un o'r ynyswyr oedd yn medru siarad Saesneg bryd hynny – cymeriad o'r enw Siôn Robert Gruffudd. Wrth siarad ag awdurdodau'r llong, sylweddolodd Siôn Gruffudd y gallai wneud arian bach del drwy fradychu ei gymdogion. Y tâl am 'brès-gangio' oedd swllt y pen – 'swllt y brenin' oedd y dywediad. Mae'n debyg i Siôn werthu dynion yr ynys i'r llong ryfel ar yr amod ei fod ef yn cael dianc.

Dychwelodd Siôn Gruffudd i'r ynys ond ni fu'r merched ar Enlli yn hir cyn sylweddoli mai bradwr ydoedd. Ffodd a chwilio am guddfan a bu'r merched yn cribinio drwy bob ogof a thwll ar yr ynys gyda'r bwriad o'i ddal a'i grogi am iddo fradychu'u dynion i'r man-o'-wôr. Llwyddodd Siôn i ddianc o'r ynys rywsut neu'i gilydd. Dywed rhai iddo ffoi i America. Ni chlywyd gair amdano fyth ar ôl hynny.

Croesodd stori'r herwgipio drosodd i'r Tir

Mawr a chododd rhywun mewn awdurdod – teulu plas Glynllifon o bosib – y mater gyda'r Weinyddiaeth Ryfel. Ildiodd y llynges pan bwysleisiwyd y byddai cymdogaeth gyfan o ynyswyr yn llwgu oni fyddai dynion Enlli'n cael dychwelyd. Er mawr lawenydd i'r mamau a'r merched, daeth y dynion yn ôl i Enlli.

Cynddaredd Merched Enlli

Mae arian gwyn y brenin gwae
Ym mhwrs Siôn Gruffudd;
Mae'r man-o'-wôr yn llenwi'r bae
Ac arian gwyn y brenin gwae
A phob cywilydd
Ar ben Siôn Gruffudd;
Ni fydd 'na drannoeth, ni fydd 'na drennydd
Pan gawn ni afael ar war Siôn Gruffudd.

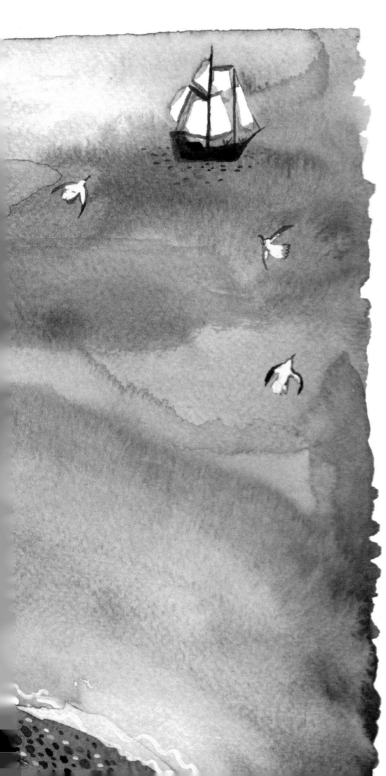

Mae hogiau Enlli i gyd dan glo
A'r llong yn rhowlio;
Mae'r man-o'-wôr a'i giang ar ffo
A hogiau Enlli i gyd dan glo
Nes daw hi'n frwydro
A mwg a thanio;
Pan ddown ni o hyd i'r gwalch Siôn Gruffudd
Cawn dorri'i esgyrn i gyd yn danwydd.

Mae'r nos yn cau fel ogof ddu,
Fel cawell cychwr,
Does 'run ohonom yn ei thŷ
Ac yntau'r bradwr
Yn dal yn rhedwr;
Mi blethwn grocbren o rug y mynydd
Er mwyn rhoi rhaff ar war Siôn Gruffudd.

Mae'r cychod bach yn wag fan hyn
A gwag yw'r caeau,
Mae'r man-o'-wôr dan liain gwyn
A'r cychod bach yn wag fan hyn,
Mae'r rhwydi'n dyllau
A thrwm yw'r rhwyfau;
Mi fydd ein melltith yn crwydro'r gwledydd,
Yn dal i wasgu ar wynt Siôn Gruffudd.

Terfysg

Mae cyfnod o newidiadau mawr yn arwain at anghyfiawnder ac anfodlonrwydd yn aml. Digwyddodd hynny yn sgil y Chwyldro yn y trefi a'r pentrefi diwydiannol – byddai helyntion am hawliau pobl yn arwain at brotestio torfol a thrais weithiau. Yr enwocaf oedd Terfysg Merthyr 1831 pan saethodd milwyr at dorf o weithwyr. Ymosododd y dorf hithau ar y milwyr ac arweiniodd hynny at grogi Dic Penderyn. Bu terfysg arall yng Nghasnewydd yn 1839 pan ymgasglodd mintai niferus i brotestio yn erbyn prinder bwyd a diffyg pleidlais i weithwyr – unwaith eto, saethodd milwyr at y dorf o flaen Gwesty'r Westgate a lladdwyd dros ugain o'r protestwyr. Sawl gwaith, mewn dros ganrif o anghydfod diwydiannol, anfonodd yr Ymerodraeth Brydeinig ei milwyr i dawelu'r gweithwyr cyffredin yng Nghymru.

Bu terfysg yng nghefn gwlad hefyd. Tlodi oedd gwraidd y drwg unwaith eto – roedd y prisiau a geid am gynnyrch amaethyddol yn isel, bu sawl cynhaeaf gwael ac roedd cwmnïau tyrpeg yn codi crocbris am gael defnyddio ffyrdd y wlad. Rhoddwyd hawl i gwmnïau wella ffyrdd a chodi toll ar deithwyr, a hyn a hyn y pen am bob anifail, fyddai'n defnyddio'r ffyrdd. Rhoddwyd giât ar draws y ffordd a chodwyd tŷ tyrpeg ar y ffyrdd hynny er mwyn rhwystro lli'r

drafnidiaeth fel bod gweision y cwmnïau yn codi'r doll cyn agor y giât. Cwmnïau o Loegr oedd llawer o'r cwmnïau tyrpeg a chodwyd mwy a mwy o dollau, er bod cyflwr y ffyrdd yn parhau yn druenus.

Yn 1839, penderfynodd criw o ffermwyr a thyddynwyr bro'r Preselau ym Mhenfro a gorllewin sir Gaerfyrddin ymosod ar dollborth a chlwyd yr Efail-wen. Roedd hwn yn derfysg difrifol, gan iddynt falu clwyd a bwthyn y ceidwad â bwyeill ac arfau eraill a'u llosgi. Er mwyn cuddio'u hunain, rhoddodd y ffermwyr barddu ar eu hwynebau a gwisgent ddillad merched. Hwn oedd ymosodiad cyntaf 'Merched Beca'.

Dros y blynyddoedd nesaf, lledodd y terfysgoedd drwy orllewin a chanolbarth Cymru. Er anfon llu o gwnstabliaid a hyd yn oed milwyr i'r ardaloedd, roedd y wlad yn cefnogi Merched Beca ac yn y diwedd llwyddodd y terfysgwyr i orfodi'r llywodraeth i leddfu peth ar eu cwynion. Mewn rhai lleoedd, roedd Beca a'i Merched yn actio drama fach wrth ddod ar draws yr iet roeddent am ei malurio. Bu dros 500 o ymosodiadau ar giatiau a thargedau eraill gan Ferched Beca.

Drama Merched Beca

Beca: *Mae'r ffordd yn dyllau i gyd, fy merched,*
Mae'n anodd imi wneud y daith,
Mae'r prisiau'n isel yn y farchnad
A hir a blin yw'r diwrnod gwaith.
Ond beth yw hyn? Tŷ tyrpeg gwyn?
Ni welais hwn fan hyn o'r blaen!
Mae rhwystr ar fy ffordd, fy merched,
Ac alla i ddim mynd ymlaen.

Merched: *Gadewch i ni ei gweld hi, Mam –*
Gofalwn ni na chewch chi gam.

Beca: *Mae'n fawr, mae'n drom – beth yw hi, ferched?*
Rwy'n hen ac nid wy'n gweld yn glir,
Mae angen cyrraedd ga'tre arnaf,
Mae wedi bod yn ddiwrnod hir.

Merched: *Gawn ni ei symud ichi, Mam?*
Mae pawb yn ffaelu deall pam.

Beca: *Arhoswch nawr – rwy'n agos, ferched,*
Ac rwy'n ei theimlo â fy ffon,
Rwy'n credu wir mai iet sydd yma
Iet i rwystro'ch mam yw hon!

Merched: *Mae iet fawr drom ar draws y ffordd!*
Mae gennym fwyell, caib a gordd!

Beca: *Gan bwyll, gan bwyll, fy merched! Falle*
Gwnaiff hi agor imi'n awr

Ond na, rhyw follt a chlo sydd arni
Ac mae'n tywyllu mwy bob awr.
Beth wnawn ni, ferched? Dyma le
A minnau eisiau mynd sha thre!

Merched: *Does dim un dewis arall nawr,*
Mam fach – mae'n rhaid i'r iet ddod lawr!

Beca: *I lawr â hi 'te, Ferched Beca!*
Does ganddi hi ddim hawl i fod 'ma!
Dewch â'r ordd i'w malu'n yfflon!
Dewch â bwyell a throsolion,
Chwalwch dŷ y casglwr tolle,
Teithio'n rhydd fydd ar ein hole!

Malu Murlun y Siartwyr

Penderfynodd Cyngor Casnewydd ddymchwel wal ger maes parcio yng nghanol y ddinas yn 2013. Bu gwrthwynebiad mawr – llythyrau yn y wasg, mynegi siom ar flogiau, ymgyrch ar *Facebook* a phrotest gyhoeddus ar y safle un dydd Sadwrn ym mis Hydref. 'Diogelwch y cyhoedd' oedd y rheswm, meddai'r Cyngor. Pam bod tynnu wal i lawr yn creu'r fath ymateb?

Roedd murlun ar y wal – darn o gelf oedd yn cynnwys 200,000 o ddarnau mosaic gan yr artist Kenneth Budd yn 1978 yn adrodd hanes gorymdaith y Siartwyr i Gasnewydd yn 1839. Roedd y gwaith celf yn adrodd stori – ac yn amlwg, roedd y stori honno yn agos iawn at galon pobl y ddinas. Pam bod yr hanes hwnnw mor bwysig iddyn nhw?

Grŵp o bobl oedd yn codi'u lleisiau yn erbyn anghyfiawnder oedd y Siartwyr. Roeddent wedi nodi rhestr o'r pethau roeddent eisiau i'r Senedd eu newid ac wedi casglu degau o filoedd o lofnodion ac wedi'i chyflwyno dan y teitl 'Siarter y Bobl'.

Y drefn etholiadol oedd yn eu poeni fwyaf – roedd nifer o ardaloedd diwydiannol yng ngwledydd Prydain erbyn hynny ond nid oedd y drefn ddemocrataidd yn ystyried hynny. Roedd cymoedd prysur, poblog heb aelodau seneddol tra bod ardaloedd gwledig â llawer wedi gadael y tir yn parhau i gael cynrychiolaeth dda. Roedd y 'Siartwyr', fel y caent eu galw, eisiau pleidlais gyfrinachol i bob dyn dros 21 oed ac eisiau'r hawl i bobl dlawd fod yn aelodau seneddol.

Ymunodd llawer o weithwyr cymoedd Morgannwg a Mynwy â'r Siartwyr – doedden nhw ddim yn teimlo bod ganddynt lais. Trefnwyd bod tair colofn o brotestwyr yn gorymdeithio i lawr tri chwm ar 4 Tachwedd 1839 ac ymgynnull yng nghanol Casnewydd i wrando ar areithiau.

Ond roedd milwyr yn disgwyl amdanynt wrth westy'r Westgate yn y ddinas. Bu sgarmes a thaniodd y milwyr at y gorymdeithwyr. Lladdwyd dau ar hugain o'r Siartwyr ac anafwyd llawer mwy. Dros y misoedd nesaf, daliwyd o leiaf 250 o Siartwyr a'u cyhuddo o fod yn fradwyr. Dedfrydwyd tri arweinydd i'w dienyddio ond newidiwyd hynny i alltudiaeth i Awstralia yn ddiweddarach.

Nid dyna ddiwedd y mudiad er hynny. Roedd pobl Mynwy yn cofio'r hanes ac yn cofio'r rhesymau. Ymhen amser, daeth pump o'r chwe phwynt ar 'Siarter y Bobl' yn gyfraith.

Amddiffyn eu hawl i wybod eu hanes eu hunain ac i anrhydeddu'r rhai a gawsai eu lladd yn brwydro dros gyfiawnder yr oedd pobl Casnewydd wrth brotestio'n erbyn malu murlun y Siartwyr.

Stori'r Siartwyr

Mae'r mur yn dod i lawr a darnau bach
O deils amryliw'n safn y JCB.
Mae'r cyngor tlawd am gadw'i groen yn iach
Wrth gyfri cost ein diogelwch ni.
Ni all y darnau hynny ddod yn ôl
Yn ddarlun, ac ni ddaw baneri'r gri
Am hawliau, ni ddaw torf yr het a'r siôl
A'r bicfforch eto'n lliw i'n strydoedd ni.
Ni welwn fwg y gynnau. Ond mae'n clyw
Yn drwm gan yr ergydion hyn o hyd;
Mae surni'r tanio yn ein ffroenau'n fyw
A chroes etholiad yn ein llaw yn ddrud.
Ni fydd yr hanes yn diflannu. Mur
O bobl fydd yn adrodd stori'r cur.

Cymru Anwaraidd!

Oherwydd terfysgoedd Beca a chynnwrf yn yr ardaloedd diwydiannol, roedd rhai pobl tua Llundain yn credu mai anwariaid oedd y Cymry! 'Rhowch dipyn o addysg iddyn nhw!' oedd y farn. Cymraeg oedd iaith Beca a'i merched; Cymraeg oedd iaith Dic Penderyn a'r gweithwyr haearn a'r glowyr hefyd. Yn 1846, cododd aelod seneddol ar ei draed yn Nhŷ'r Cyffredin a dweud y dylai plant Cymru ddysgu Saesneg er mwyn dod yn eu blaenau yn y byd.

Gofynnwyd i dri bargyfreithiwr oedd wedi cael eu haddysg yng ngholegau Rhydychen a Chaer-grawnt wneud arolwg a pharatoi adroddiad am gyflwr Cymru. Tri Sais a thri eglwyswr oedden nhw – Johnson, Lingen a Symons. Doedd ganddyn nhw ddim gair o Gymraeg rhyngddynt ac nid oeddent yn deall dim am fywyd y capeli yng Nghymru chwaith.

Teithiodd y tri Sais drwy Gymru gan ymweld ag ysgolion ac Ysgolion Sul ac ar ddiwrnod Ffŵl Ebrill 1847, cyhoeddwyd eu hadroddiad mewn cloriau glas. Y dyfarniad oedd nad oedd plant Cymru ddim yn medru darllen na siarad Saesneg – a doedd eu hathrawon fawr gwell! Rhoddodd y tri Sais lawer o bwyslais ar eu barn eu hunain ac ar farn ficeriaid yr eglwysi, ond ychydig iawn o dystiolaeth a gasglwyd gan weinidogion y

capeli. Gwelwyd llawer o fai ar yr iaith Gymraeg – roedd hi'n annymunol a hen ffasiwn ac yn rhwystr i blant, meddai'r tri Sais.

Wel, gallwch fentro bod llawer o bobl yng Nghymru wedi gwylltio'n gacwn gyda'r fath adroddiad. Roedd y papurau newydd a'r cylchgronau Cymraeg yn llawn llythyrau blin gan athrawon, gweinidogion a beirdd. Gan mai glas oedd lliw cloriau'r adroddiad, galwyd y gwaith yn 'Frad y Llyfrau Gleision'.

Un ymateb oedd bod y beirdd yn canu mwy o gerddi gwladgarol, yn canmol traddodiad llenyddol a cherddorol gwych y Cymry. Pwy oedd y tri Sais i'n galw ni'n anwariaid! Yn 1856, cyfansoddodd Evan James o Bontypridd eiriau enwog 'Mae hen wlad fy nhadau...' Cyfansoddwyd alaw i'r geiriau gan James James y mab a thyfodd hon yn gân boblogaidd ymysg y werin. Câi ei chanu gan dorfeydd mewn eisteddfodau a gemau rygbi – ac yn y diwedd cafodd ei harddel fel ein hanthem genedlaethol. 'O bydded i'r heniaith barhau' yw diweddglo gorfoleddus y cytgan.

Ond dechreuodd rhai Cymry wrando ar gyhuddiadau Brad y Llyfrau Gleision hefyd. Tybed oedd hi'n wir bod y Cymry ar ei hôl hi am eu bod yn siarad Cymraeg? Dyma ddechrau dirywiad ym meddyliau'r Cymry, fel na fedrent weld gwerth yn eu hanes na'u celfyddyd na'u hiaith eu hunain. Arweiniodd hyn at wahardd y Gymraeg mewn ysgolion ymhen rhai blynyddoedd.

Gwlad y Llyfrau Gleision

'Mae'r Gymraeg yn iaith i'r gweision
Fydd yn cario dŵr o'r ffynnon,
Carthu twlc y mochyn,
Plannu tatws wedyn,'
Medd Tri Sais y Llyfrau Gleision.

'Mae'r Gymraeg yn iaith morynion
Fydd yn sgwrio gyda sebon,
Bwydo'r llo â bwced,
Brwsio baw o'r carped,'
Medd Tri Sais y Llyfrau Gleision.

'Mae'r Gymraeg yn llawn glafoerion:
Henaint, cloffni, geiriau duon,
Gwael iawn eu barddoniaeth,
Diflas eu chwedloniaeth,'
Medd Tri Sais y Llyfrau Gleision.

'Mae'r Gymraeg yn lladd disgyblion
Ac yn cadw'r plant yn gnafon,
Mae hi'n atal cynnydd
Ein gwareiddiad newydd,'
Medd Tri Sais y Llyfrau Gleision.

Ond mae plant pob cwr o'r wlad
Yn canu'n uwch na'r sen a'r brad,
Gan anwylo'u hanes,
Eto'n gryf eu neges:
'Bydded i'r Gymraeg barhad!'

Pleidlais Gyhoeddus

Ar ddiwrnod etholiad, bydd pleidleiswyr yn cael darn o bapur i osod croes gyferbyn ag enw'r ymgeisydd y maent yn ei gefnogi. Ond nid felly fyddai hi bob amser.

Yr arfer yn yr oes o'r blaen oedd bod torf yn ymgynnull a bod y rhai oedd â hawl i bleidleisio yn codi eu dwylo i gefnogi enw'r ymgeisydd fel y byddai'n cael ei gyhoeddi o'r llwyfan. Ar un adeg, dim ond y bobl wirioneddol gyfoethog oedd â'r hawl i godi'u dwylo i ddewis aelod seneddol. Ond dechreuodd pethau newid ac erbyn Etholiad 1859, roedd gan nifer o ffermwyr bychain hawl i bleidleisio.

Bryd hynny, ychydig iawn o ffermwyr oedd yn berchen ar eu ffermydd. Teulu'r plas oedd piau'r tir a thalu rhent am gael byw a gweithio ar ffermydd fyddai'r rhelyw. Ond yn yr etholiad hon, gwnaeth llawer o'r ffermwyr bleidleisio i'r ymgeisydd Rhyddfrydol er bod y meistri tir yn cefnogi'r Torïaid. Roedd hyn yn beth dewr iawn i'w wneud gan nad oedd pleidlais gudd – dim ond codi dwylo yn gyhoeddus.

Enillwyd llawer o seddau gan y Rhyddfrydwyr ac roedd nifer o feistri tir wedi gwylltio cymaint nes iddynt droi rhai ffermwyr Rhyddfrydol allan o'r ffermydd ar eu stadau.

Gwladgarwr mawr oedd Michael D. Jones, yn wreiddiol o'r Weirglodd Wen, Llanuwchllyn

ac yn cefnogi newidiadau Rhyddfrydol y cyfnod hwnnw. Collodd y meistr tir cyfoethog – Watkin Williams Wynn – ei sedd ac er mwyn

dial, trodd nifer o'i denantiaid o'u tai. Un o'r rheiny oedd mam weddw Michael D. Jones.

Dwylo

*Mae ôl eu llafur ar y caeau hyn
sy'n eiddo i Watkin Williams Wynn
yn hau a medi
i dalu'r rhenti
a gosod cilbyst a giatiau pren
ar dyddyn y weddw o'r Weirglodd Wen.*

*Daeth cyfle i'w codi erbyn hyn
yn erbyn Watkin Williams Wynn:
mae magu calon
yn cerdded Meirion
ac mae'n amser i'r bychan fod yn ben,
medd mab y weddw o'r Weirglodd Wen.*

*Cewch eu rhoi ar un o'r bargeinion hyn
yn ocsiwn Watkin Williams Wynn:
maen nhw'n clirio'r stadau
o berygl heintiau,
a golchi'r cerrig yn lân o'u cen
yw hel y weddw o'r Weirglodd Wen.*

*Rhwng bysedd newydd y dyddiau hyn
mae pŵer Watkin Williams Wynn
i hwylio byrddau
a gwagio caeau
a phoen na ddaeth hi byth i ben
yw poen y weddw o'r Weirglodd Wen.*

Ymfudo o Gymru

Rhwng cant a dau gan mlynedd yn ôl, dewisodd llawer o deuluoedd a phobl ifanc adael Cymru gan fentro croesi'r moroedd i chwilio am fywyd gwell yn y Byd Newydd – aeth rhai i America, Canada, Seland Newydd ac Awstralia ac aeth eraill am Batagonia yn yr Ariannin yn ne America, gan obeithio cael ffermio eu tir eu hunain neu ennill cyflogau da mewn gweithfeydd dur a glo, neu chwareli.

Nid peth hawdd oedd gadael Cymru a throi cefn ar gyfeillion a theuluoedd am byth. Roedd y llongau'n aml yn orlawn a'r mordeithiau yn beryglus ac yn fagwrfa i heintiau. Ond roedd bywyd yn galed yng Nghymru hefyd – tlodi a newyn, gormes meistri'r plasau a'r eglwys, y ffermydd yn fychain a'r teuluoedd yn fawr.

Ymfudodd degau o filoedd o Gymru – drwy borthladd Lerpwl yn bennaf. Byddent yn pasio glannau Cymru a'i goleudai ar eu taith. Aethant ar wasgar mewn cyfandiroedd newydd ac er i rai lwyddo'n eithriadol, siom ac unigrwydd a brofodd eraill. Nid paradwys oedd dros y gorwel wedi'r cwbl ac roedd hiraeth am yr hen wlad a'r hen ddiwylliant yn mygu llawer o'r ymfudwyr.

Gadael Glannau Cymru

Tywyllwch Afon Lerpwl sydd tu ôl i'r starn
A machlud y gorllewin ar bob crib a charn,
Mae'r hwyliau'n llawn o chwerthin
Y gwynt sy'n gadael tir,
Mae'r gorwel aur o 'mlaen
A'r freuddwyd heno'n glir.

Golau o Drwyn Eilian,
Golau Ynys Lawd,
Golau bach o Landdwyn,
Golau Enlli dlawd.

Mae'n haws gweld llwybr newydd dan drwyn y llong drwy'r lli,
Mae'n anodd gweld y wlad ymhell tu cefn i mi;
Mae adar gwyn y glannau wedi troi yn ôl
Am nythod craig Pendinas a chaeau coch Blaen-ddôl.

    Golau Aberystwyth,
    Golau gwan y Cei,
    Golau o Benstrwmbwl
    A'r nos yn cau yn slei.

Mae'r bont yn wag mewn pentref yr ochr draw i'r bryn,
Mae'r go'n cau drws yr efail – mae'n oeri erbyn hyn;
Mae olwyn fawr y felin yn llonydd uwch y dŵr
A gweithdy'r saer a'r becws yn dawel a di-stŵr.

    Golau Ynys Dewi,
    Golau'n mynd yn llai,
    Golau olaf Gwales
    A'r galon fach yn glai.

Dathlu'r Mimosa 1865

Yn 2015, wrth gofio 150 o flynyddoedd ers pan hwyliodd y fintai gyntaf o 162 o Gymry ar y *Mimosa* o Lerpwl i Batagonia, daeth sawl agwedd o'r hanes yn ôl yn fyw.

Cofiwn y rhesymau dros y daith a'r fentr. Yn 1865, roedd Cymru'n wlad oedd wedi'i rhwygo rhwng y werin oedd yn mynychu'r capeli a'r rheolwyr a'r cyfoethogion oedd yn aelodau o'r eglwysi. Roedd y capelwyr yn rhoi arian i gynnal eu hachosion eu hunain ond hefyd – drwy gyfraith – yn gorfod talu degwm (degfed ran o'u hincwm) i'r eglwys. Tlodi oedd y gelyn mawr – yng nghefn gwlad ac yn yr ardaloedd diwydiannol. Tlodi oedd yn gyfrifol am afiechydon a marwolaethau, tai anaddas a gorfodaeth ar blant i roi'r gorau i addysg a dechrau gweithio yn llawer rhy ifanc. Roedd rhai mor ifanc â phum mlwydd oed yn gweithio dan ddaear yn y pyllau glo.

Yn 1865, roedd yr iaith Gymraeg a diwylliant y Cymry yn destun gwawd gan Saeson a Chymry Seisnigaidd. Gan feddwl bod hynny'n ffordd o foderneiddio a datblygu'r wlad, gwaharddwyd y Gymraeg mewn ysgolion a throwyd conglfeini'r diwylliant – fel yr Eisteddfod – yn Saesneg. Cafodd mwy a mwy o bobl gyffredin yr hawl i bleidleisio, ond os oeddent yn codi'u llais a'u llaw i blaid wahanol i un y meistr tir roedd perygl gwirioneddol y buasent yn colli'u tai a bywoliaeth eu ffermydd.

Oedd, roedd digon o resymau pam roedd y syniad o wladfa Gymreig wedi gwreiddio yng Nghymru'r cyfnod hwnnw. Bu sawl ymgais debyg i greu talaith yn cael ei llywodraethu gan y Cymry yn America, De Affrica, Awstralia, Seland Newydd a hyd yn oed Palesteina. Ond dan arweiniad Michael D. Jones o Lanuwchllyn, dechreuwyd cymryd camau at wireddu'r freuddwyd yn ardal Dyffryn Chubut, yn ne'r Ariannin ac i'r dwyrain o Chile. Roedd y 162 cyntaf yn cynrychioli sawl ardal o Gymru, a nifer o Gymry oedd wedi ymfudo i drefi Lloegr. Roedd ar y llong bobl wedi cael addysg, crefftwyr a gweithwyr cyffredin; Cymry cefn gwlad a Chymry'r pyllau glo. Gellid dweud ei bod yn fintai genedlaethol ym mhob ystyr y gair.

Rhyddid oedd yn eu gyrru – rhyddid i fod yn berchen tir, i weithio heb feistr, i addoli yn ôl eu dymuniad, i lywodraethu eu tir a'u cymdeithas fel y gwelent yn dda, a rhyddid i fyw yn Gymraeg.

Bu'n antur galed. Doedd mordaith y *Mimosa* ddim yn ddechreuad da – yn ystod y ddau fis ar y cefnfor, wynebodd y llong stormydd geirwon, afiechydon a bu nifer o'r plant farw arni. Pan laniodd y fintai ym Mhorth Madryn, roedd yn ganol gaeaf garw, y gwynt yn rhewllyd, y lle'n ddiadeilad a digysgod a bwyd a diod yn eithafol o brin.

Bu farw un ferch – Mary Jones o'r Bala, dwy oed – y diwrnod y cyrhaeddodd y *Mimosa* fae Porth Madryn a hi oedd y Gymraes gyntaf i'w chladdu yn naear Patagonia. Bythefnos yn ddiweddarach, ganwyd merch i gwpwl o'r Ganllwyd, a galwyd y Gymraes gyntaf i'w geni ym Mhatagonia yn Mary hefyd. I gofio amdani, galwyd y gadwyn o fryniau o amgylch Porth Madryn yn 'Fryniau Meri'. Roedd Meri fach wedi dod â gobaith i'r Cymry, gobaith y gallent drechu'r holl anawsterau a llwyddo i wneud rhywbeth ohoni yn y wlad galed a dieithr honno.

Fel yna mae'n digwydd yn aml – mae plant yn dod â gobaith newydd gyda nhw. Heddiw, mae plant Cymraeg Patagonia yn rhoi bywyd newydd i'r iaith ar y paith o hyd.

Bryniau Meri

Y gwynt yn chwipio'n oer o'r Andes,
Y criw heb fwyd na gwres na lloches,
Yn waeth na'r cyfan, rhaid ffarwelio
Ag arch fach arall ar ôl glanio.

Ond cilio wnaeth yr ofn a'r dychryn
Pan anwyd merch ar dir Porth Madryn,
Anghofiwn ni mo'r bore hwnnw
Pan glywyd llais un babi'n galw.

Bydd pwtan arall yn parablu
Hen eiriau pell aelwydydd Cymru,
A bydd yn sôn am enwau lleoedd
Draw, draw yng ngwlad yr hen deuluoedd.

Meri oedd y ferch fu farw,
Meri hithau'r ferch sy'n galw,
Bryniau Meri, Patagonia –
Haul a dagrau ein Mimosa.

Gwladfa Gymreig ym Mhatagonia

Sefydlu gwlad Gymreig, Gymraeg oedd breuddwyd y fintai a ymfudodd ar y *Mimosa* o Gymru i Batagonia yn 1865. Roedd hi'n antur enbyd, gyda'r arloeswyr cynnar yn rhoi eu ffydd yn gyfan gwbl yn y freuddwyd heb wybod fawr ddim am y tir na'r bobl oedd yr ochr arall i'r byd. Clywsant amheuon bod y tir yn ddiffrwyth a bod yr Indiaid brodorol yn debyg o ymosod yn greulon arnynt. Ond roedd y fintai gyntaf yn fodlon mentro popeth – byrddiodd 162 ohonynt long y Mimosa yn y dociau yn Lerpwl ar 24 Mai 1865, yn hanner cant o wragedd, pump ar hugain o blant a'r gweddill yn ddynion.

Glaniodd y gwladfawyr ym Mhorth Madryn ar 28 Gorffennaf – dyna'r dyddiad y dethlir 'Gŵyl y Glaniad' yn flynyddol ym Mhatagonia fyth ers hynny. Roedd creigiau gwynion ar gwr y traeth a'r tu hwnt iddynt ymestynnai gwastadedd graeanog a llychlyd y paith. Treuliwyd y cyfnod cyntaf yn byw mewn ogofâu yn y creigiau a chyn hir, dechreuwyd aredig y paith llychlyd ac agor ffordd i gyfeiriad Dyffryn Camwy, ddeugain milltir i ffwrdd.

Bu'r misoedd cynnar yn rhai caled iawn – bwyd yn brin ac yna sychder mawr. Methodd y cnwd yn yr anialwch oherwydd y diffyg profiad o amaethu. Roedd diffyg gwybodaeth am y tir, y tymhorau a'r tyfiant yn rhwystr mawr i'r gwladfawyr, ac roeddent yn ofni ymosodiad gan yr Indiaid yn ogystal.

Wedi cyrraedd Dyffryn Camwy, adeiladwyd bythynnod bychain o glai a choed a hau rhagor o ŷd. Gorlifodd yr afon yn niwedd Hydref gan ddinistrio'r cnydau. Roedd y Cymry'n byw ar hela yn hytrach nag ar ffermio yn ystod y flwyddyn gyntaf, a bu bron i'r fintai adael y dyffryn a symud i gyffiniau Buenos Aires, prifddinas yr Ariannin.

Ar 19 Ebrill 1866, priododd dau o'r Cymry – y briodas gyntaf ym Mhatagonia – ond torrwyd ar draws y wledd gan y waedd, 'Mae'r Indiaid wedi dod!' Ond dim ond dau farchog oeddent – daethant at y cwmni gan eistedd yn fud ar eu ceffylau. Roedd anhawster iaith ond cafwyd dealltwriaeth drwy gyfrwng ychydig eiriau o Sbaeneg. Cynigiwyd bara gwyn a bara brith i'r Indiaid ac ar ôl gweld bod y Cymry'n ei fwyta ac nad oedd yn wenwynig, dyma hwythau yn ei brofi a'i fwynhau yn fawr. 'Bara' oedd y gair Cymraeg cyntaf a ddysgodd yr Indiaid ac am flynyddoedd ar ôl hynny byddent yn ymweld â gwahanol ffermydd y Cymry ac yn gofyn yn gwrtais: 'Poco bara?'

Cafodd yr Indiaid gysgu yn un o fythynnod y Cymry'r noson honno. Aethant yn gynnar fore drannoeth gan ddychwelyd gyda'r nos gyda dwy ferch i'w canlyn. Cododd y pedwar babell – eu *toldo* – ar lan yr afon a buont yno am fisoedd yn cyd-fyw efo'r Cymry ac yn eu dysgu i hela yn null yr Indiaid, gan gadw'r fintai o wladfawyr rhag newynu.

Un Sul ym mis Gorffennaf 1866, roedd cynulleidfa o'r Cymry yn cynnal gwasanaeth yn un o'u tai pan amgylchynwyd y tŷ gan ddegau o Indiaid. Daeth rhai ohonynt i mewn a syllai eraill drwy'r ffenestri. Ond unwaith eto, cyfeillgarwch enillodd y dydd a daeth llwyth o ddeg a thrigain o Indiaid i gyd-fyw gyda'r Cymry am fisoedd. Roedd yr Indiaid yn arbennig o hoff o ganu emynau'r Cymry a byddent yn ymweld â'u capeli, gan eistedd yn y cefn er mwyn clywed y canu.

Roedd y berthynas dda rhwng y Cymry a'r Indiaid yn rhywbeth dieithr yn yr Ariannin lle bu dipyn o ymosodiadau rhwng ymsefydlwyr a brodorion. Câi'r Cymry eu galw yn 'Gyfeillion yr Indiaid' yn iaith yr Indiaid a heddiw cerflun o Indiad yn craffu ar y gorwel sydd ym Mhorth Madryn i gofio am y *Mimosa* a Gŵyl y Glaniad.

Drwy lygaid yr Indiad

'O ben y graig, mi welais hyn
A'r haul yn fy llygaid i:
Tair coeden gyda dail mawr gwyn
Yn nesu ar draws y lli.

'A gwelais gawell fechan goesog
Yn dod ohoni i'r lan
Gan gario dynion, gwragedd a phlant,
Pob un yn welw a gwan.

'Gwelais bobl yr ogofâu ar hyn
Yn chwilio am ddŵr ar y paith,
Ac roedd y sŵn roeddan nhw'n ei wneud
Yn wahanol iawn i fy iaith.

'Maen nhw'n gyrru saeth anweledig
O haearn twrw mawr
A draw yn y pellter bydd 'sgyfarnog
Yn disgyn yn gelain i'r llawr.

'Aethom atynt a byw yn ein toldo
A rhannu eu bara mwyn;
Pan oedd anadl y mynyddoedd yn oer
Mi gawsant gennym grwyn.

'Y nhw yw'n Cyfeillion yn y cwm,
Yn canu â chalon lân,
Cawn rannu hen straeon y paith gyda nhw
A rhannu eu tŷ a'u tân.'

Wal y Plas

Tŷ a gardd wrth droed allt Nant-y-garth ger y Felinheli yw Ty'n Nant. Yr hyn sy'n hynod am y tŷ yw bod y wal sy'n amgylchynu Stad y Faenol – wal anferth sy'n saith milltir o hyd – yn rhoi pedwar tro siarp o gwmpas yr ardd fechan. Mae'r tŷ'n ymddangos fel petai wedi tyfu yng nghesail y wal. Y stori y tu ôl i hyn yw fod gŵr y plas wedi ceisio prynu'r tŷ er mwyn codi wal union, uchel, urddasol i gadw pobl gyffredin oddi ar ei diroedd. Ond er ceisio dwyn perswâd ac er pob bygythiad, gwrthododd y wraig fach oedd yn byw yn y tŷ symud i wneud lle i wal y dyn mawr. A hyd heddiw, mae'r tŷ fel tolc yn wal y Faenol.

Meistras ar Arglwydd y Faenol

'Mae eisiau gras a 'mynedd,
oes, o, bobol bach!'
meddai'r Meistar wrth ei sbaniel
yn fawr ei strach.
'Rwy'n colli ambell ffesant tew,
cwningod lu;
mae tlodion y plwy'n eu cipio nhw
i'r crochan du.

'Groes yng nghroes o'r coed i'r dŵr
mae llwybrau troed
a'r hawl i'w cerdded gan y bobol fach
yn bod erioed.
Does dim heddwch ar lawnt y plas,
rhyw boen bob awr,
does dim lle i sipian te
gan y bobol fawr.'

Ac meddai'r Meistar wrth ei gi,
gan farcio'i dir:
'Mi godaf wal o gylch y stad,
un uchel, hir;
bydd cerrig miniog ar ei chrib
all atal cawr;
mae ffin yn beth iach rhwng y bobol fach
a'r bobol fawr.'

Daeth seiri meini at y gwaith
o'i chodi hi,
ac Arglwydd Stad y Faenol oedd
yn fawr ei fri:
'Sbiffing! Syniad campus!'
meddai'r crach.
'Mae wedi dwyn ein coed,' oedd cwyn
y bobl fach.

Wrth ymyl prif fynedfa'r plas
y mae Ty'n Nant,
tyddyn hen wraig yn dal yr haul
yng nghil y pant;
rhosys melyn wrth ei ddrws
a gardd o goed,
a theulu'r wraig oedd ar yr aelwyd
honno erioed.

Yr oedd y wal yn codi'n dal
heb fwlch, heb dro,
ond y Meistar mawr a welodd yn awr
ei rwystr o:
os oedd am gadw wal ei stad
yn union, syth,
fe fyddai'n rhaid chwalu i'r llaid
Dy'n Nant am byth.

Ceisiodd brynu'r lle ag arian:
gwnaeth hyn drwy deg;
pan fethodd, ceisiodd fygwth y wraig
â dwrn a rheg.
Torrodd ei rhosys melyn a'i dychryn
gyda'i gi,
ond dal ei gafael yn y tŷ'n yr haul
yn ddewr wnaeth hi.

A heddiw'n y pant yn Nant-y-garth
mae'r wal ddi-slant
yn gorfod troi ar bedwar tro
i osgoi Ty'n Nant.
Mae'r Meistar mawr yn awr mewn arch
a'i gi mewn sach,
ond saif o hyd ei safiad hi,
yr hen wraig fach.

Castell y Penrhyn

Castell ffug rhyw ddau gan mlwydd oed ydi Castell y Penrhyn, ger Bangor. Codwyd yr adeilad anferth yn 1837 gan deulu'r Arglwydd Penrhyn a wnaeth ei ffortiwn yn gwerthu caethweision a'u defnyddio i dyfu siwgr ar ynysoedd India'r Gorllewin. Erbyn 1859, hon oedd y drydedd stad fwyaf yng Nghymru gydag incwm blynyddol anferthol – £4.5 miliwn yng ngwerth arian heddiw.

Pan basiwyd deddfau yn gwahardd caethweision, trodd yr Arglwydd Penrhyn ei olygon at greigiau llechfaen ardal Bethesda ac agor yr hyn a dyfodd i fod yn chwarel lechi fwya'r byd, gan gyflogi dros 3,000 o ddynion. Yn anffodus, doedd y perchnogion ddim yn enwog am roi telerau teg i'r chwarelwyr, yn fwy nag i'r caethweision a gâi eu cipio o Affrica gynt.

Casglodd teulu'r Penrhyn gyfoeth anhygoel gan wario cyfran ohono ar foethusrwydd eithafol yn y Castell. Ymwelodd y Frenhines Victoria â'r Castell yn 1859 ac ar gyfer yr ymweliad hwnnw adeiladwyd gwely mawr pedwar piler o lechfaen cerfiedig o Chwarel y Penrhyn. Yn ôl yr hanes, dewisodd y frenhines beidio â defnyddio'r ystafell honno am fod y gwely'n rhy debyg i gist bedd mewn mynwent!

Mae'r gwely i'w weld yn y llofft o hyd, lle mae ffenest tua'r de yn edrych at fynyddoedd Arfon a phonciau Chwarel y Penrhyn ar ystlys Carnedd y Filiast.

Morwyn fach Castell y Penrhyn

'Cwyd o'r gwely 'na!
Mae 'na waith glanhau!
W'st ti fod pobl yn marw'n eu gwlâu!

'Ffedog a chap:
Mae'r bwced yn galw!
Mae'r lle tân marmor yn hyll gan ludw.

'*Dŵr poeth a chadach*
A sgwria'r lloriau!
Ti'n gwybod dy le pan wyt ar dy liniau.

'*Dos i wagio'r*
Pot dan y gwely
Mae'r Arglwydd yn yfed cymaint â theulu.

'*Agor y bleinds*
Inni weld y chwarel,
Mae aur i rai yn ei llwch a'i rwbel.

'*At y gwely llechfaen*
Ag eli penelin!
Cwyd y sglein gydag olew o'r gegin.

'*Edrych ar y steil,*
Ar y grefft a'r graen
Lle bu gwinedd yn hollti wrth weithio'r maen.

'*Cyn hir, bydd hi yma,*
Y Cwin Fictoria
Yn gorwedd ar hwn ac yn mwynhau'r olygfa.

'*Gorwedd mewn cyfoeth*
A gweld y ponciau
Lle mae'r chwarelwyr yn chwysu chwartiau.

'*Tyrd, rŵan – styria!*
Priciau mân a glo!
Mae'r lle mawr yma'n oer. Wnaiff hyn mo'r tro!'

Cludo nwyddau trymion

Merthyr Tudful oedd prifddinas yr haearn am gyfnod – yno'r oedd Cyfarthfa, gwaith haearn mwyaf y byd yn 1800. Roedd tri gwaith haearn mawr arall yn ardal Merthyr ac adeiladwyd Camlas Morgannwg – bron 25 milltir o hyd – i gludo'r haearn bar i borthladd Caerdydd.

Defnyddiwyd haearn i adeiladu ac atgyfnerthu llongau yn wreiddiol – ac ar gyfer y canons ar y llongau rhyfel, wrth gwrs. Erbyn y bedwaredd ganrif ar bymtheg, roedd angen llawer o haearn ar gyfer y rheilffyrdd a'r peiriannau stêm yn ogystal. Cyn hynny, roedd yn rhaid i ryw beiriannydd ddyfeisio'r 'trên' ei hun – sef peiriant stêm i dynnu cerbydau ar hyd cledrau.

Roedd tramffyrdd, neu 'ffyrdd haearn bach', mewn chwareli, ffwrneisi a gweithfeydd eraill eisoes – gyda wageni'n cael eu tynnu gan ferlod neu fulod, neu hyd yn oed merched a phlant, ar hyd-ddynt. Ond dyna ichi ddiwrnod mawr oedd hwnnw pan welwyd peiriant stêm, gyda'i gorn yn mygu a'i olwynion cocos mawr yn rhygnu troi yn araf gan dynnu tunelli o bwysau i lawr y lein. Yma yng Nghymru y gwelwyd yr olygfa honno gyntaf erioed yn hanes y byd, a hynny yn y flwyddyn 1804. Richard Trevithick oedd y peiriannydd a gwaith haearn Penydarren, dan reolaeth Samuel Homfray, oedd y lleoliad.

Yn 1841, agorwyd y rheilffordd bwysig gyntaf yng Nghymru, ac mae cysylltiad rhwng ardal Merthyr a honno hefyd. Rheilffordd Dyffryn Taf

oedd hi – gosodwyd cledrau o Gaerdydd i Abercynon ac yna ymlaen i Ferthyr Tudful a chafwyd diwrnod o ŵyl gyhoeddus ar 12 Ebrill 1841 i ddathlu agor y rheilffordd.

Y trên cyntaf yn hanes y byd

Cyfarthfa fawr a Dowlais
Yn chwydu'r nwyon drwg,
A Plymouth, Penydarren:
Ffwrneisi, fflamau, mwg;
Mae plygu dan y pwysau,
Mae chwysu wrth y gwaith
I buro'r mwyn yn haearn
A'i gario i ben ei daith.

Daw'r dŵr o droed y Bannau
A charreg galch o'r fro,
Mae haearn yn y creigiau
A than y tir mae glo;
I lawr y cwm mae harbwr
A llynges fawr ynghyd
I fynd â thrysor Merthyr
I ateb galw'r byd.

Rhy araf oedd asynnod
I gario'r llwythi hyn;
Rhy fychain oedd wageni
Rhwng gwasgfa pant a bryn;
Rhy arw yr afonydd
I deithio'n rhwydd a rhydd,
A thorrwyd camlas gostus
O Ferthyr i Gaerdydd.

Roedd Homfray, Penydarren,
Yn ddiflas iawn ei fyd
A Chrawshays cryf Cyfarthfa
Yn hawlio'r cei i gyd;
Âi'r llwythi i Abercynon
Ar hyd hewl haearn fach
Drwy lawer iawn o lafur
A llawer mwy o strach.

Fe glywodd am Trevithick
A greodd injan stêm
A gyrrodd air i Gernyw
I weld a oedd yn gêm
I geisio llunio peiriant
I dynnu'r haearn trwm
Ar resi hir o dryciau
Naw milltir 'lawr y cwm.

Yr her oedd symud pwysau
Yn gynt nag ar y dŵr –
Y boelar fyddai'n ffrwydro
Dan straen, roedd rhai yn siŵr;
A rhyfedd iawn i'r llygad
Oedd ffurf y 'ceffyl' hwn:
Corff bach a simnai uchel
I yrru'r darnau crwn.

Ar fore oer o Chwefror
Roedd cannoedd yn crynhoi:
Deg tunnell mewn wageni
A'r cocos mawr yn troi,
A chyda sŵn byddarol,
Mwg du – yr oedd hi'n bryd:
Yn crensian ei olwynion –
Trên cledrau cynta'r byd!

Am bedair awr, pum munud,
Drwy dân a thuchan mawr,
Gan dorri'r coed o'u blaenau,
Bum milltir gloff yr awr,
I ben ei daith daeth peiriant
Drwy ddyfeisgarwch dyn
Ym mil wyth cant dim pedwar –
Fu hanes fyth yr un.

Gan mlynedd ar ôl hynny
Roedd trenau'n mynd mewn awr
Dros drigain o filltiroedd:
Mor fach pob pellter mawr!
Ac yma ar gledrau Cymru
Yn stêm a thân a glo
Morgannwg fu'r trên cyntaf –
Mae'r gamp yn rhan o'n co'.

Hwylio Gyda Glannau Llŷn

Gan fod 750 o filltiroedd o arfordir gan Gymru, mae'r môr wedi bod yn gyfrwng allweddol yn hanes y wlad. Tros y môr y daeth y bobl gyntaf i ymsefydlu yma a thros y môr y cadwyd cysylltiad â seintiau Celtaidd yng ngwledydd ein cymdogion. Daeth gelynion i ymosod dros y môr a chodwyd cestyll gyda llwybrau'r môr yn gefn iddynt.

Yn ddiweddarach, roedd llongau ar y môr yn bwysig yn natblygiad diwydiannol Cymru – allforiwyd glo a llechi, copr a cherrig ithfaen i Ewrop, â rhai llongau'n mynd cyn belled ag America ac Awstralia. Mae'n debyg bod dyfodiad y trên i gario nwyddau, a gwella'r ffyrdd yn ddiweddarach, wedi golygu ein bod yn llai dibynnol ar y môr a'i drafnidiaeth.

Llŷn, yng ngogledd-orllewin Cymru, oedd un o'r ardaloedd olaf lle bu llongau'n hwylio i mewn ac allan o borthladdoedd bychain gan gario glo, coed, calch a gwrtaith i'r ffermydd a chario wyau, menyn, caws, moch a bustych i'r farchnad. Mae Llŷn yn anghysbell dros y tir a mynyddoedd Eryri yn rhwystr amlwg. Roedd bron pob cilfach a hafan yno'n borthladd bychan – mae olion diddorol i'w canfod ar hyd y glannau ond efallai mai'r atgof pennaf o oes y llongau hwylio yw'r enwau ar y baeau bychain hyn. Glanio ar dywod y traeth heb na chei na

harbwr iddynt a wnâi'r llongau a'r enw yn Llŷn ar draeth felly yw 'porth'. Dyma'r 'porth' – y drws – rhwng y tir a'r môr. Mae rhamant i'r hanes ac mae rhamant i'r hen enwau ar y 'porthydd' yn sicr.

Llongau glannau Llŷn

Wrth ganu'r gân am Borth Dinllaen
Daw breuddwyd am gael Fflat Huw Puw
Yn codi hwyl ar hyd y lan
A dilyn hen, hen ffordd o fyw;
Roedd llwythi ddoe yn mynd a dod:
Y calch o'r Gogarth, glo o'r De
A'r styllod coed o Newfoundland
A chreigiau'r Eifl i ffyrdd y dre.

Porth Ychain, Porth Llanllawen,
Porth Ceiriad, Porth Cae Coch,
Porth Sglodion a Phorth Sgadan,
Porth Gwymon, Porth y Gloch,
Porth Meudwy, Porth Siôn Richard,
Porth Felen, Porth Bryn Gŵydd,
Porth Geirch, Porth Golmon, Porth y Nant,
Porth Poli a Phorth Brwyn.

Daw llongau Llŷn ar draws y môr:
Y Laura Griffith, Margret Puw,
Sabrina, Ann a'r Comodôr:
Pob un â'i gargo at ein byw;
Daw meini melin, siwgwr gwyn,
Y tail o Ddulyn, wast y sôp
Ar stemars Lerpwl, Sybil Wynn,
Ar Phoenix, Fanny Beck a'r Hope.

Porth Sglaig, Porth Ysgyfarnog,
Porth Hadog a Phorth Bach,
Porth Ferin a Phorth Foriog,
Porth Al'm, Porth Trefgraig Bach,
Porth Fechan a Phorth Lydan,
Porth Wisgi a'r Borth Fawr,
Porth Hocsaid, Porthor, Porth Tŷ Llwyd,
Porth Iwrch a Phorth Tŷ Mawr.

Mae cylchoedd haearn yn y graig,
Mae odyn galch ac ierdydd glo
Ac ambell borth a lonydd trol
I ddod â'r llwyth i mewn i'r fro;
Y sgwner fawr a'r stemar fach
Na miri'r criw wrth lwytho'r moch,
Does neb yn awr yn cofio strach
Heblaw am luniau bar Tŷ Coch.

Porth Cychod a Phorth Cesyg,
Porth Solfach, Porth y Wrach,
Porth Llwynog, Porth y Pistyll,
Porth Glas, Porth Mari Bach,
Porth Iago, Porth Hendrefor,
Porth Tywyn a Phorth Llong,
Porth Rhos y Go, Porth Penrhyn Crydd,
Porth Ddofn a Phorth Dinllaen.

Plant y Pyllau Glo

Nid dynion a merched yn unig oedd yn gweithio yn y diwydiannau trymion yn ystod y Chwyldro Diwydiannol. Ar longau hwyliau, yn y melinau gwlân, ar domenni rwbel y chwareli llechi ac o dan ddaear yn y pyllau glo, roedd plant yn gorfod wynebu peryglon difrifol a gweithio am oriau hirion er mwyn i'r teulu gael dau pen llinyn ynghyd. Ychydig iawn, iawn o lowyr oedd yn medru gweithio ar ôl cyrraedd yr hanner cant ac roedd y diwydiant yn ddibynnol iawn ar blant mor ifanc â chwe blwydd oed i agor a chau drysau aer o dan ddaear, i gario basgedi o lympiau glo, tynnu dramiau â chadwyni wrth eu gwregysau a chlirio rwbel.

Profiad angenrheidiol i bob teulu o Gymry yw ymweld â'r Amgueddfa Lofaol Genedlaethol yn y Pwll Mawr (*Big Pit*) ym Mlaenafon. Yno cewch daith o dan ddaear a chael eich gollwng mewn caets i lawr siafft 90 metr i waelod un o'r pyllau dyfnaf yn hanes y diwydiant yn ein gwlad. Bydd cyn-löwr yn eich tywys yng ngolau'r lampau a chewch weld y drysau oedd yn rheoli llwybrau'r aer glân oedd yn hanfodol i'r pwll. Bydd yn esbonio mai plant pump neu chwech oed fyddai'n agor a chau'r drysau hyn. Byddent yn cyrraedd y lle gwaith am chwech y bore ac yn aros yno tan chwech yr hwyr. Fel arfer byddai'r tad neu frawd hŷn yn eu harwain i'w lle ac yn dweud wrthynt am fwyta'r pecyn bara a chaws oedd ganddynt – rhag bod llygod mawr yn cael esgus i ymosod arnynt pan fyddent ar eu pennau eu hunain. Byddent yn cael eu gadael mewn tywyllwch llwyr gan fod pris i'w dalu am y canhwyllau. Byddai'n rhaid iddynt glustfeinio am sŵn merlyn yn tynnu dram drwy'r twnnel ac agor y drws mewn pryd iddo basio neu dderbyn bonclust gan yr halier am wastraffu ei amser. Byddai'r plant yn blino cymaint nes y byddai rhai'n cysgu ar y lein haearn ac mewn perygl o dorri coes neu waeth wrth i ferlyn a thram llawn o lo fynd trostynt. Peryglon eraill fyddai cwymp o gerrig o nenfwd y twnnel, nwy peryglus, tanchwa, dŵr tanddaearol, cael eu llusgo gan gadwyni'r wageni neu ddisgyn i lawr siafft yn y tywyllwch. Plant oedd yn dioddef llawer o'r marwolaethau yn y pyllau.

Dim ond ar ddyddiau Sul y byddent yn gweld golau dydd am y rhan fwyaf o'r flwyddyn – câi hynny effaith wael ar dyfiant y plant. Gan eu bod yn gweithio mewn llefydd cyfyng ac yn eu cwman yn aml, gallech adnabod glowyr fel arfer gan fod eu hesgyrn wedi'u hystumio yn gam ers eu plentyndod.

Mae glo yn ddwfn yn y creigiau mewn sawl rhan o Gymru. Roedd angen y glo er mwyn gwresogi adeiladau a hefyd i gynhyrchu stêm mewn peiriannau stêm oedd yn gyrru llongau, trenau a pheiriannau ffatri yn Oes Fictoria. Ym maes glo sir y Fflint yng ngogledd y wlad y ceid glofa'r Parlwr Du, y dechreuwyd ei thyllu yn 1865. Dyna enw gwych, ond eto dychrynllyd, ar lofa, yntê? Yn ei hanterth, roedd yn ymestyn ymhell dan y môr ger Talacre, y pwynt mwyaf gogleddol ar dir mawr Cymru, a hwn oedd un o'r pyllau dwfn olaf – caeodd yn Awst 1996. Does dim ond cofeb i'r glowyr a band pres yn cadw enw'r gwaith erbyn hyn.

Plentyn y Parlwr Du

Rwy'n gorwedd ar y dramffordd
Ger llaw y drysau pren,
Mae cwsg yn cau fy llygaid trwm,
Tywyllwch lond fy mhen;
Mi godais cyn i'r bore
Estyn ei olau gwyn,
Dod 'lawr y siafft a 'nghefn yn grwm
I'r fagddu yn fan hyn.

Mae 'Nhad yng ngharchar Wyddgrug
Rôl streic am swllt y dydd
Drwy fod gan Mistar Mostyn
Gyfeillion triw a chudd;
Perchennog dewr y lofa
Roes filwyr wrth y llyw,
Mae 'Nhad ar ddŵr a bara sych:
Minnau'n cael pres at fyw.

Mae'r llawr yn crynu weithiau,
Mae'r waliau'n rhydd a llaith;
Rwy'n bum mlwydd oed, yn ddigon hen
I gydio yn y gwaith;
Rwy'n un o dri o frodyr
Sy'n croesi trothwy'r tŷ
I ddod â'r nos i 'nghanlyn i:
Plentyn y Parlwr Du.

Ni all yr Arglwydd Mostyn
Fforddio canhwyllau gwêr,
Ni ddaw i'r gwyll diderfyn hwn
Un winc o olau'r sêr;

Rwy'n gorwedd mewn tywyllwch
Cyn dringo'n ôl i'r nos
Cyn bydd y pump o'r gloch drachefn
Yn gweiddi arnaf, 'Dos!'

Daw'r wagen lawn drwy'r twnnel,
Sŵn merlyn, clonc y djaen,
A Dic yr Halier byr ei wynt
A'i 'chydig eiriau plaen;
Rhaid imi fod yn effro,
Yn chwim a digon cry'
I agor drws a mynd o'r ffordd:
Plentyn y Parlwr Du.

Mae Siôn, yr hynaf acw,
Yn f'arwain at fy lle,
Bob bore'n rhoi fy mara a chaws
A photel fach o de,
Fy siarsio'n syth i fwyta
Pob un briwsionyn bach
Rhag denu sylw'r llygod mawr
A chadw 'nghroen yn iach.

Dydd Sul yw dydd yr heulwen
(Pan fyddaf ar ddi-hun,
Heb fod yn cysgu i hel fy nerth
I fynd i lawr ddydd Llun);
Mi fydd yr wythnos nesaf
'Run fath â'r wythnos a fu:
Unigrwydd maith ac oerni llaith –
Plentyn y Parlwr Du.

Y 'Welsh Not'

Un o'r dulliau mwyaf barbaraidd o geisio lladd yr iaith Gymraeg a chreu rhwystr rhag iddi gael ei defnyddio fel iaith bob dydd oedd cosbi'r plant fyddai'n ei siarad yn yr ysgol. Mae'r peth yn swnio'n anhygoel i ni heddiw – ond roedd hyn yn digwydd rhwng tua 1780 ac 1925.

Pe clywid plentyn yn siarad Cymraeg yn y dosbarth neu ar fuarth yr ysgol, câi darn o bren yn sownd wrth gortyn ei roi am ei wddw. Roedd y llythrennau 'W.N.', neu'r geiriad llawn 'Welsh Not', wedi'u naddu ar y pren. Byddai'r pren yn aros am wddw'r plentyn nes y byddai hwnnw'n clywed rhywun arall yn siarad Cymraeg. Dyna'i gyfle yntau wedyn i'w ryddhau ei hun drwy achwyn ar ei gyd-ddisgybl a throsglwyddo'r 'Welsh Not' iddo. Felly'r âi'r pren o wddw i wddw drwy'r dydd. Y plentyn fyddai'n cario'r 'Welsh Not' ar ei war ar ddiwedd y diwrnod ysgol fyddai'n cael ei guro â chansen gan yr athro. Digwyddai hyn bob dydd. Yn y dull hwn, cafodd y Gymraeg ei waldio oddi ar dafodau plant.

Y syniad y tu ôl i'r arfer hwn oedd cyhoeddi nad oedd gwerth i'r Gymraeg – ym myd addysg, masnach, diwydiant na gyrfa. Yr hen gred oedd bod y Gymraeg yn perthyn i'r gorffennol ac felly'n atal datblygiad y byd modern. Rhwystr oedd yr iaith, nid allwedd i

gyfoeth o hanes a thrysorfa o straeon, barddoniaeth ac enwau lleoedd.

Daliwyd i ddefnyddio'r 'Welsh Not' mewn rhai ysgolion tan y 1920au. Hyd heddiw, mae'r cof amdano'n parhau. Meddai gwraig o Lanelli yn ddiweddar:

'Fe gafodd fy nhad-cu ei wado am siarad Cymraeg yn yr ysgol yng Nghaerfyrddin. Siaradodd e 'run gair o Gymraeg byth ar ôl hynny. 'Na beth dychrynllyd i ddigwydd, yndefe?'

Roedd Bob o Langernyw R. E. Jones Llanrwst yn ddiweddarach) yn cofio Owen, ei frawd hynaf, yn cael ei daro am siarad Cymraeg gydag ef ar y buarth ar ei ddiwrnod cyntaf yn yr ysgol yn y 1920au:

'Pa synnwyr, mewn difrif, oedd disgwyl i fachgen siarad â'i frawd ei hun mewn iaith estron, a honno'n iaith na ddeallai'r brawd hwnnw ddim oll ohoni?'

Mae cysgod y 'Welsh Not' dros Gymru o hyd. Mae yma rai sy'n dal i honni ei bod yn ddiwerth defnyddio'r Gymraeg. Does neb yn cael cweir am siarad Cymraeg erbyn hyn, eto mae'n dal yn anodd ei defnyddio mewn llawer man. Ond mae'n dda gweld bod y rhan fwyaf o bobl Cymru bellach wedi rhoi'r gorau i'r syniad hen ffasiwn bod yr iaith yn gwneud drwg i ddyfodol llewyrchus. Y gwir amdani yw bod ei defnyddio ym mhob agwedd o fywyd y genedl yn ein gwneud ni i gyd yn gryfach.

Owen Bach y Dagrau

'Be wnest ti, Owen bach y dagrau?
Dy wynt yn dy ddwrn fel hyn;
Mae 'na ryw atal ar dy ddweud,
Dy lygaid yn sgleiniog a syn.

'Gest ti godwm, Owen bach y dagrau?
Oes 'na waed ar dy goes neu dy glun?
Wela' i ddim rhwyg yn dy ddillad di chwaith –
Pam nad wyt ti'n chdi dy hun?

'Y syms oedd y drwg, Owen bach y dagrau?
Hen daclau 'na'n codi braw?
Cofia di ofyn i'r Sgwlyn bob tro
Y byddi di angen help llaw.

'Gest ti gweir 'ta, Owen bach y dagrau?
Ddaeth cnafon Pen Llan ar dy ôl?
Hen fwlis sy'n ymlid rhai llai na nhw –
Mae eisiau eu plygu dros stôl!

'Deud ti 'ta, Bob, am Owen y dagrau –
Oedd y tarw'n rhydd yn y cae?
Be welaist ti ar dy ddiwrnod mawr
Wnaeth beri fod Owen fel mae?

'Mond siarad, Owen bach y dagrau?
Mond gofyn 'Ti'n iawn?' i dy frawd?
Mond gofyn oedd pawb yn ei drin yn glên
A'i annog, drwy godi bawd?

'Yn Gymraeg wnest ti, Owen bach y dagrau?
Y Gymraeg 'na sy'n arwain at bren?
Y Gymraeg sy'n dod â'r gansen i lawr?
– Be gebyst a ddaeth dros dy ben?'

Streic Fawr Chwarel y Penrhyn

Uwch glannau Menai, mae Castell y Penrhyn yn adeilad llawn ysblander ac yn dangos maint y cyfoeth oedd yn perthyn i'r teulu hwnnw ar un adeg. O ffenestri'r castell mae Dyffryn Ogwen, mynyddoedd Nant Ffrancon a Chwarel y Penrhyn i'w gweld. Roedd y cyfan yn eiddo i'r teulu hwn. Hon oedd y chwarel lechi fwyaf yn y byd ychydig dros gan mlynedd yn ôl – roedd bron i dair mil o bentrefwyr Bethesda a'r ardal yn gweithio yno. Ond aeth hi'n ddrwg rhwng y chwarelwyr a'r Arglwydd Penrhyn. Yn ogystal â'r tir a'i gastell, credai'r Arglwydd mai ei eiddo ef oedd ei weithwyr hefyd.

Yn 1900, ni siaradai'r Arglwydd Penrhyn air o Gymraeg a Sais o'r enw E. A. Young oedd rheolwr y chwarel. Cymry Cymraeg oedd y chwarelwyr a Chymraeg oedd iaith Undeb Chwarelwyr Gogledd Cymru. Tegwch i bawb oedd nod yr undeb ond rhoddai'r chwarel fwy o gyflog i weithwyr oedd yn barod i lyfu llaw stiwardiaid y chwarel. Gwrthodai'r Arglwydd Penrhyn wrando ar gwynion yr undebwyr – gwneud miloedd o bunnoedd o elw oedd ei unig ddiddordeb.

Aeth y rhwyg rhwng y chwarelwyr a'r Arglwydd yn ddyfnach yn 1900 pan ddiswyddwyd 26 o weithwyr wedi anghydfod

ynglŷn â chytundebau. Bu achos llys ym Mangor ar 5 Tachwedd a daeth cannoedd o chwarelwyr i'w cefnogi. Roedd yr Arglwydd Penrhyn yn fwy blin nag erioed – er mwyn dysgu gwers i'r chwarelwyr am feiddio ei herio, caeodd giatiau'r chwarel a chloi'r dynion allan o'r gwaith am bythefnos. Doedd y gweithwyr ddim am ildio chwaith. Pleidleisiodd y 2,800 ohonynt i ddod allan ar streic. Byddai'r streic yn para tair blynedd: 'Streic Fawr Bethesda'. Hwn yw'r anghydfod diwydiannol hwyaf yn hanes y byd.

Roedd bod heb waith yn golygu bod heb gyflog i deuluoedd y chwarelwyr. Yn fuan iawn roedd teuluoedd Bethesda yn brin o fwyd. Dechreuodd siopau gau yn yr ardal. Ond roedd yr Arglwydd Penrhyn yn benderfynol o lwgu'r chwarelwyr er mwyn eu gorfodi i ildio i'w reolau.

Gadawodd llawer o'r streicwyr ardal y chwareli. Aeth nifer i weithio i'r pyllau glo yn ne Cymru gan yrru arian adref i gynnal eu teuluoedd. Roedd tri chôr yn ardal Bethesda – teithiai'r corau i bob cwr o Gymru, Lloegr a'r Alban i gynnal cyngherddau a chodi arian ar gyfer y streicwyr. Wrth i fwy a mwy o weithwyr mewn ffatrïoedd, gweithfeydd dur a phyllau glo glywed am agwedd yr Arglwydd Penrhyn, casglwyd mwy a mwy o arian – dros £32,000 i gyd.

Ceiniog am gân

Canwn a'n lleisiau'n unedig,
Canwn ein cur yn y cerrig,
Cân am y morthwyl a'r cynion,
Cân am gyfiawnder i ddynion,
Canwn am hollti'r llechfeini yn lân:
Rhowch chithau eich ceiniog am gân.

Canwn am feistr y chwarel,
Arglwydd a'i dalcen yn uchel,
Canwn am gastell a ffortiwn,
Canwn am gyfraith a phastwn,
Canwn am gyflog mewn arian rhy fân:
Rhowch chithau eich ceiniog am gân.

Canwn am fisoedd heb gyflog,
Canwn am gegin newynog,
Canwn am Ionawr a'i farrug,
Cost mynd â'r plant at y meddyg,
Canwn am deras heb ddillad, heb dân:
Rhowch chithau eich ceiniog am gân.

Canwn am faner yr undeb,
Am nerth er mor welw yw'r wyneb,
Canwn am falchder mewn tlodi,
Am hawliau na chân nhw eu torri,
Canwn drwy'r cynnig i'n dal ar wahân:
Rhowch chithau eich ceiniog am gân.

Tanchwa Senghennydd 1913

Ar 14 Hydref 1913 ffrwydrodd yr aer ym mhwll glo'r Universal yn Senghennydd. Saethodd fflamau ar hyd y lefelau dan ddaear ac i fyny'r siafft i wyneb y lofa. Bu'r timau achub yn ymladd y tân, y mwg a'r nwy a'r cwympiadau am wythnosau ac yn y diwedd cafwyd bod 439 glöwr wedi'u lladd ac un aelod o'r timau achub. Hon oedd y ddamwain waethaf yn hanes cloddio am lo yng ngwledydd Prydain.

Roedd gan bob un bywyd a gollwyd stori i'w hadrodd. Weithiau, gall y ffigyrau beri inni golli golwg ar yr unigolion a'r teuluoedd oedd yn cael eu taro gan y colledion. Stori un o'r bywydau a gollwyd sydd yn y faled hon.

Mae'r faled yn sôn am weithio 'dybyl shifft'. Ystyr hynny yw gweithio shifft ychwanegol dros bartner sy'n wael, wedi brifo neu'n methu dod i'r lofa. Byddai'r gweithiwr yn gwneud y gwaith yn ei le ac yn rhoi cyflog y shifft honno i'w bartner, gan nad oedd unrhyw gymorth arall ar gael i'w deulu bryd hynny.

Pump y bore yn Senghennydd

Mae Eic yn falch o weld y lampau,
Er bod y nos 'run fath â'r dydd
I lawr yn y dyfnderoedd cudd,
Adeg braf yw hel y pacie
A mynd i'r caets i gwrdd â'r gole.

Mae'n bump o'r gloch ar ben y lofa,
Wynebau'r gwaith yn troi tua thre,
Wynebau glân yn mynd â'u lle
Ac Eic sy'n chwilio 'mysg y dyrfa
Ydi Glyn, ei bartner, yma.

Mae Glyn a'i wraig yn disgwyl teulu,
Pa bryd y daw, does neb a ŵyr,
Mae shifft i'w gwneud ac mae hi'n hwyr;
Os na all Glyn fynd 'lawr i dyllu
Lle Eic, ei bartner, yw ei helpu.

Mae'r caets yn disgyn unwaith eto,
Sŵn y winsh, a'r cwymp i lawr;
Deng munud bellach wedi'r awr
Mae Eic yn troi'n ei ôl i weitho
Dybyl shifft heb air o gwyno.

Ar hynny dyma waedd o'r fagddu
A Glyn ar ras yn wên i gyd:
'Mae'r babi'n cysgu yn y crud!
Rwyf wedi'i dala, wedi'i magu,
Mae'i mam hi hefyd ar i fyny.'

A chyda llun o'r ferch fach newydd
O flaen ei lygaid, bochau glân,
A llais y fam yn sibrwd cân,
Aeth Glyn dan gario'i wên ysblennydd
I lawr i ddüwch tew Senghennydd.

Balchder y Cwm

Pan nodwyd bod cbrid ers trychineb Senghennydd yn 2013, dadorchuddiwyd cofeb genedlaethol i gofio am holl golledion y diwydiant glo yng Nghymru. Mae rhestr y marwolaethau mewn gwahanol byllau ac ardaloedd glofaol yng Nghymru yn eithriadol o drist – Rhisga, 1860 (145 o fywydau); Ferndale, 1867 (178); Abercarn, 1878 (268); Maerdy, 1885 (81); Albion, Pontypridd, 1894 (286); Gresffordd, 1934 (266); Six Bells, 1960 (45); Aberfan, 1966 (116 o blant a 28 oedolyn).

Y ddelwedd a ddefnyddiwyd i greu cerflun y Gofeb Genedlaethol yw tîm achub yn cynorthwyo glöwr i adael pwll peryglus. Er gwaethaf yr holl golledion, mae dewrder y timau achub yn destun balchder o hyd. Glowyr o byllau cyfagos a glowyr a fu ar shifft nos oedd aelodau'r timau achub yn Senghennydd – er gwaetha'r mwg, y nwy, y ffrwydradau, y tân a'r holl beryglon eraill, roeddent yn fodlon mentro'u bywydau i achub cyd-lowyr o dan ddaear. Er bod llawer o chwerwedd at berchnogion y pyllau ynglŷn â diffyg gofal a diogelwch yn y gwaith, mae edmygedd mawr yn parhau at ddewrder anhunanol y timau achub.

Y Timau Achub
(Senghennydd 2013)

Nid magu tristwch ydi hyn,
Dod nôl at ddoe a'i drychinebau,
Mi daerith rhai eu du yn wyn
Mai magu tristwch ydi hyn,
Ond clywais i am Jac Ty'n Llyn*
Yn dod o'r mwg a'r tân i'r golau.
Nid magu tristwch ydi hyn,
Dod nôl at ddoe a'i drychinebau.

Aeth timau achub 'lawr i'r twll
Ar ôl dod yno dros y mynydd,
A hwythau'n llawn o lwch un pwll
Aeth timau achub 'lawr i'r twll
I fyd ar dân a'i nwyon mwll
Yn syth o'u shifft i siafft Senghennydd.
Aeth timau achub 'lawr i'r twll
Ar ôl dod yno dros y mynydd.

Mi gyfrwn eto'r meirwon hyn
A chyfri'r dwylo aeth drwy'r fflamau;
Dwy awr ar hugain Jac Ty'n Llyn,
Mi gyfrwn eto'r meirwon hyn
A'r rhai oedd gyda'r angau'n dynn
Ar wres eu sodlau yn y siafftau,
Mi gyfrwn eto'r meirwon hyn
A chyfri'r dwylo aeth drwy'r fflamau.

*Jac Ty'n Llyn a'i frawd oedd y rhai olaf i'w hachub o danchwa Senghennydd wedi iddynt fod o dan ddaear am 22 awr

Bysus y Pentrefi Bychain

Yn nechrau'r ugeinfed ganrif, dechreuodd cwmnïau bysus wasanaethu prif drefi Cymru, gan danseilio'r hen Goets Fawr a'r cert a cheffyl mewn ardaloedd lle nad oedd gwasanaeth trên ar gael. Er hynny, roedd rhai pentrefi o'r neilltu yn cael eu hanwybyddu gan y drafnidiaeth newydd.

Yn 1912, daeth dau bentref yng ngorllewin Arfon ynghyd i greu cwmni bysus. Clynnog a Threfor oedd y pentrefi a chwmni bysus cydweithredol oedd o – cwmni yn eiddo i bobl yr ardal.

Gan mai coch oedd lliw y bysus, galwyd y cwmni yn 'Moto Coch' ar lafar gwlad. Ond i bobl Clynnog a Threfor, 'Moto Ni' oedd ei enw – am mai nhw oedd y perchnogion. Mae'r cwmni yn parhau'n llwyddiannus hyd heddiw.

Moto Ni

Pentra troed y mynydd
A'r daith yn hir i'r dre,
Dim ond trol a merlyn
Yn mynd a dod o'r lle;
Roedd beryg iddo golli'i fri
Nes taniodd injan Moto Ni.

Casglwyd y degsylltau
(Er nad oedd pres yn sbâr),
A phrynwyd y bws cyntaf
Pan gafwyd tair mil siâr,
Y Commer Ec-ec Pump-pump Tri:
Yn llenwi'r ffordd, roedd Moto Ni.

Cael mynd ar fws i siopa
A dod yn ôl i'r wlad,
I'r pentra a'i gymdeithas
Roedd posib gweld parhad:
Y llyw yn troi yn groes i'r lli,
Mae'n bosib byw, medd Moto Ni.

Sachau blawd i'r ffarmwrs
A llo neu foch mewn sach,
Y burum i Lan'huar
A phils i'n cadw'n iach:
Asgwrn cefn economi
Oedd llwythi llawn ein Moto Ni.

Aeth rhai ar drip i Lundain
Cyn bod Sat-Naf i'r lôn,
Trip Ysgol Sul, Trip Lerpwl
A Calais a Cologne;
Ym mhob maes parcio, clywid cri:
'Y Moto Coch yw'n Moto Ni!'

Cario drwy bob tywydd
A hyn ers canrif, do,
Cario'r bara menyn
I aelwydydd bro;
Cario fy ngobeithion i
A chario'r dydd wnaeth Moto Ni.

Y Rhyfel Mawr

Chwalwyd llawer mwy na dim ond daear y brwydro a chyrff y milwyr yn ystod y Rhyfel Byd Cyntaf, 1914–1918. Chwalwyd teuluoedd, chwalwyd gobeithion cariadon a chwalwyd bywydau llawer o'r clwyfedigion a ddychwelodd adref. Ym mhentref y Ro-wen yn Nyffryn Conwy, bu farw wyth o fechgyn ifanc o ganlyniad i'r rhyfel. Daeth llawer yn eu holau, gan gynnwys pedwar brawd o'r un tyddyn – Fron Haul, ar lethrau'r mynydd – ond roedd pethau'n chwithig iawn iddynt hwythau ar ôl colli'u cyfeillion. Roedd y pedwar brawd yn aelodau o'r fyddin o 1914 hyd ddiwedd yr ymladd yn 1918, ac ni ellir ond dychmygu'r poen meddwl oedd ar yr aelwyd – awelwyd 'Edwards y Fron' – nes y dychwelodd y pedwar ar ddiwedd y rhyfel.

Hogiau'r Fron

Tachwedd, a phedwar o'r meibion
Yn smart iawn yn lifrai eu gwlad,
Tri dan hyfforddiant, a'r hynaf
Yn Fflandrys a ffosydd y gad;
Mae hogiau'r Ro-wen, o'r Blue Bell draw i'r Swan,
Yn codi eu gwydrau i Edwards y Fron.

Rhagfyr, mae'r aelwyd yn oeri
A'r gaeaf yn drymach ei faich,
Ond llythyr gan Huw i'w rieni
Sydd heddiw'n rhoi nerth yn y fraich;
Daw'r Gwyliau â rhywfaint o glydwch i'w bron,
Daw gwên blwyddyn newydd i Edwards y Fron.

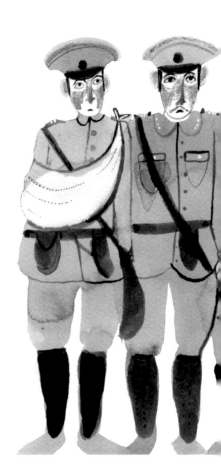

Mai, a daw rhes o benillion
O'r galon mewn amlen gan Huw:
Anrhydedd, medd ef, fydd yn sefyll
Os na ddaw o drwyddi yn fyw;
Ond syllu i'r afon a'r brys yn ei thon
Ar Bont Foty Gwyn mae Edwards y Fron.

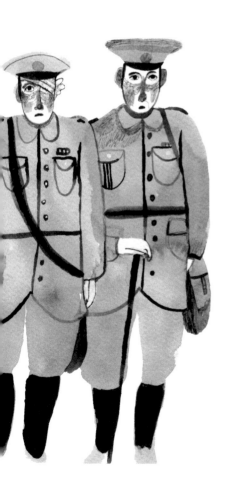

Hydref, mae'r brwydro'n ffyrnicach,
Colledion yr hogiau'n dwysáu,
Mae colofn i'r meirw'n y papur
A'r enwau mewn print bob dydd Iau;
Gweld Huw, Wil neu Joseff neu Robat yn hon
Yw'r gyllell wythnosol yn Edwards y Fron.

Mehefin, mae'r Maer yn areithio,
Pregethwyr yn dethol tri phen;
Aiff hanner cant rhagor o feibion
O Lanbed, Ty'n-groes a'r Ro-wen;
Y band ar y platfform a sglein newydd sbon
Ond hen ydi'r cwmwl uwch Edwards y Fron.

Ebrill, daw John i Fodawen
A'r siels wedi chwalu'i fraich dde;
Am seibiant rhag dwndwr y gynnau,
Daw Morus Bont Ddu tua thre;
Daw Jo ag un llygad a Huw ar ei ffon:
Y gwaed yn fy nghalon, medd Edwards y Fron.

Medi, mae'r tân yn tawelu;
Mae'r pedwar tu yma i'r llen
Ond mwll ydi ardal eu mebyd
Dan gysgod yr holl groesau pren;
Anaml eu gwenau a phrin eu gair llon –
Lle'r aeth yr hen hogia? medd Edwards y Fron.

Tangnefedd yn y Ffosydd

Y flwyddyn oedd 1914. Roedd hi'n noswyl Nadolig yn y ffosydd yn Frelinghien yn Ffrainc, yn agos at y ffin â gwlad Belg. Am bedwar mis cyn hynny, bu brwydro enbyd rhwng byddinoedd mwyaf Ewrop yn yr ardaloedd hynny, gyda'r dinistr a'r colledion yn drwm ym mhob byddin. Nythodd yr Almaenwyr mewn ffosydd dwfn oedd yn ymestyn o Wlad Belg i Swistir, a llochesodd byddinoedd Ffrainc a Phrydain a'u cynghreiriaid o bob cwr o'r byd mewn rhwydwaith o ffosydd gyferbyn â nhw. Yn y canol, roedd Tir Neb gyda'i wifrau pigog, ei dyllau sieliau ac olion yr ymladd. Roedd y tywydd wedi bod yn wlyb a niwlog ers wythnosau, roedd dŵr yn sefyll yn y ffosydd a'r tir wedi troi'n fôr o laid.

Ond y pnawn hwnnw, trodd y tywydd. Oerodd y gwynt, a heliwyd y cymylau yn eu blaenau. Wrth iddi dywyllu, goleuodd y sêr gaeafol. Roedd pentref Frelinghien yn nwylo catrawd o Sacsoni ym myddin yr Almaen. Ychydig yn is i lawr, yn nes at yr afon, roedd llinell catrawd o Gymru – y Ffiwsilwyr Cymreig.

Cododd y lleuad. Roedd hi'n chwipio rhewi ac roedd traed y milwyr yn fferru yn eu hesgidiau gwlyb yn y ffosydd. Ers rhai dyddiau, roedd parseli o ddanteithion gan deuluoedd y milwyr a wyddai na fyddai eu meibion adref gyda nhw i ddathlu'r Nadolig wedi cyrraedd y ffrynt. Yn raddol, tawelodd y gynnau ac roedd yr ymosodiadau'n prinhau.

Roedd tawelwch rhyfedd o dan yr awyr glir. Pan ddiflannodd golau olaf haul y dydd, syfrdanwyd y Ffiwsilwyr Cymreig wrth weld llusernau papur a choed Nadolig yn ymddangos ar ben ffosydd eu gelynion. Roedd hi'n draddodiad bod dathliadau'r ŵyl yn dechrau ar y noson cynt yn yr Almaen. Gallai'r Cymry weld pennau yn codi o ddiogelwch y ffosydd ar draws Tir Neb. Fel arfer byddai sneipars y ddwy ochr yn saethu unrhyw un a ddangosai ei drwyn allan o'r ffos gyferbyn. Clywodd y Cymry garolau ac emynau a chaneuon poblogaidd yn cael eu canu gan leisiau garw'r milwyr o Sacsoni. Ni saethwyd yr un fwled.

Drannoeth, gorweddai tarth tew o'r afon dros Dir Neb. Roedd y Cymry wedi peintio llythrennau yn dymuno Nadolig Llawen ac wedi rhoi llun o'r Kaiser ar gynfas uwch eu safle eu hunain. Deuai ambell floedd drwy'r niwl o gyfeiriad y gelyn. Cyfarchiad? Neu fygythiad? Cododd y tarth yn raddol ac wrth graffu ar draws dau gan llath o faes y brwydro draw at ffosydd yr Almaenwyr, roedd rhai yn tybio eu bod wedi gweld baner wen yn cael ei chwifio. Baner wen? Heddwch? Ydach chi'n siŵr?

Yr Almaenwyr oedd y rhai cyntaf allan o'u ffosydd diogel heb arfau. Dyma nhw'n galw ar

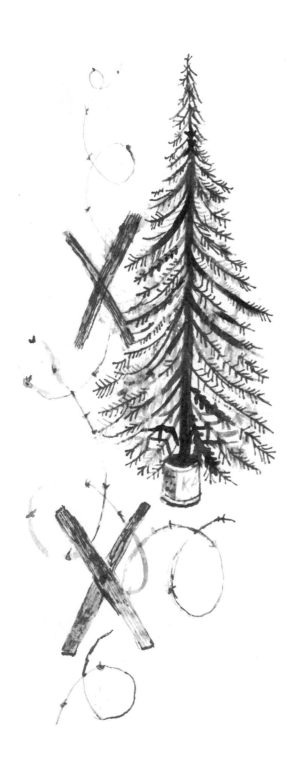

y Cymry i beidio â saethu ac i ddod allan i'w cyfarfod. Roedd rhai o'r Ffiwsilwyr Cymreig yn bryderus, yn ofni mai trap oedd y cyfan. Ond ar hyn, dyma eraill yn dringo o'r ffosydd a chroesi'n gyflym ar draws Tir Neb i ysgwyd llaw â'r Almaenwyr oedd yn nesu. Dymunwyd yn dda i'r naill a'r llall. Cyfnewidiwyd anrhegion – cwrw a sigârs gan yr Almaenwyr; corn bîff a phwdinau Nadolig gan y Cymry. Yn ôl pob tebyg, roedd milwyr Sacsoni wedi gwirioni ar y pwdinau! Ymunodd rhai o'r swyddogion â'r milwyr cyffredin gan ysgwyd llaw gyda swyddogion Almaenaidd a chytuno i gael diwrnod heb danio.

Gwelwyd golygfeydd tebyg ar hyd milltiroedd o'r Ffrynt Gorllewinol. Gadawodd llu o gatrodau eu safleoedd a chyfarch a sgwrsio gyda'u gelynion. Chwaraewyd gêm bêl-droed rhwng Almaenwyr a chatrawd o'r Alban mewn un rhan o faes y gad. Ymwelodd milwyr â ffosydd a chuddfannau eu gwrthwynebwyr a mwynhau croeso a chyfeillgarwch. Roedd heddwch a thangnefedd yn y ffosydd.

Parhaodd y rhyfel bedair blynedd waedlyd arall. Bu'r dinistr a'r lladd yn ddidrugaredd. Lladdwyd miliynau. Ond parhaodd y cof am y Nadolig rhyfeddol hwnnw pan oedd yr awydd am heddwch a chyfeillgarwch yn gryfach na'r gorchymyn i ladd.

Yn 2008, dadorchuddiwyd cofeb yn Frelinghien i nodi'r diwrnod o gadoediad a fu rhwng y Ffiwsilwyr Cymreig a'r gatrawd o Sacsoni. Roedd gwraig Prif Weinidog Ffrainc ar y pryd yn bresennol. Madame Pénélope Fillon oedd hi – gwraig o bentref bach gwledig ger y Fenni yn ne Cymru. Dewiswyd rhoi'r gofeb yn Frelinghien gan mai yno'n unig yr oedd swyddogion o'r ddwy ochr wedi cyfarfod yn ffurfiol i ysgwyd llaw a threfnu bod y cadoediad yn un swyddogol rhwng eu catrodau.

Wrth iddi ddechrau tywyllu y dydd Nadolig hwnnw yn 1914, aeth milwyr y ddwy fyddin yn ôl i'w ffosydd eu hunain. Roedd hi'n glir a serog y noson honno hefyd. Cyn hir, clywyd lleisiau'r Almaenwyr yn canu'r garol 'Stille Nacht' yn llawn angerdd. Ar ôl iddyn nhw orffen, clywyd lleisiau tenor a bas y Cymry yn canu 'Dawel Nos'. Dwy fyddin, dwy iaith wahanol, ond yr un garol.

Nadolig yn Ffrainc, 1914

Un noswyl Nadolig daeth cwmni ynghyd
Rhwng Ffrainc a Gwlad Belg mewn ffos Rhyfel Byd,
Daeth tonc organ geg â hen gân 'nôl i'r co'
A chododd y lleisiau wrth iddynt roi tro
Ar stori'r angylion a'r stabal a'r gwair,
A rhywfaint o'u mamau ym mreichiau eu Mair.

Gosodwyd llusernau ar weiren y nos
A chodwyd pinwydden yn fythwyrdd o'r ffos,
Roedd llaid ar eu lifrai a'r rhew'n brathu'u crwyn
Ond canent am fugail a phreseb ac ŵyn
A'r hen leuad acw, yn isel a chron:
Roedd golau'r aelwydydd hiraethus yn hon.

Ddau ganllath i ffwrdd, daeth y garol yn ôl:
Côr garw o leisiau am faban mewn côl,
Yr acen yn ddieithr ac estron yr iaith,
Ond gyda'r un ffydd bod anrhegion ar daith;
Distewi wnaeth gynnau, a'r lein ar ei hyd
Fel tae'n dal ei hanadl uwch heddwch y crud.

Roedd tarth rhwng dwy fyddin pan dorrodd y wawr
Ond cerddai cysgodion a'u menter yn fawr
Gan alw cyfarchion a chynnig eu llaw:
'Hei, peidiwch â saethu! Dewch allan! Dewch draw!
Mae casgen o'r bragdy fan yma i chi!
Dewch allan o'ch tyllau i ddathlu fel ni!'

Petrusgar oedd eraill i ostwng ffroen gwn
Gan ofni mai tric gan y gelyn oedd hwn,
Ond wrth weld eu dewrder heb arf a heb hid
Am statws swyddogol y lladdfa a'r llid,
Dwy fyddin a groesodd Dir Neb a chael hwyl
Ar rannu sigârs a phwdinau yr ŵyl.

Ar hyd y milltiroedd o ffrynt rhoddwyd taw
Ar fagnel a bwled – dau lu law yn llaw;
Cydganwyd 'Hosanna', cydgiciwyd pêl-droed –
Hwn oedd y Nadolig rhyfeddaf erioed:
Rhyfelwyr heb arfau yn sgwrsio yn rhydd
A'u hiraeth am 'Dolig sy'n hwy nag un dydd.

Hedd Wyn

Bugail o ardal Trawsfynydd, a bardd, oedd Ellis Humphrey Evans – neu 'Hedd Wyn' a rhoi iddo'i enw barddol. Fe'i ganed yn 1887 a chafodd ei fagu ar fferm yr Ysgwrn a chanodd lawer o gerddi i bobl ei fro ac i natur a'r tymhorau ar fynydd-dir Meirionnydd.

Yn 1914, torrodd y Rhyfel Mawr, ond nid oedd yn rhaid i Hedd Wyn gael ei anfon i frwydro gan fod amaethyddiaeth yn waith hanfodol mewn cyfnod o ryfel. Pan ddaeth Bob ei frawd iau i oedran milwr, roedd yn debygol iawn y byddai'n gorfod ymuno â'r fyddin gan nad oedd digon o waith i bâr ychwanegol o ddwylo adref. Teimlai Hedd Wyn mai ei le ef fel y mab hynaf oedd mynd – gwirfoddolodd a chafodd ei yrru i'r ffosydd. Cafodd ei ladd ym Mrwydr Cefn Pilkem yn 30 mlwydd oed ar 31 Gorffennaf 1917.

Fel bardd o Gymro, roedd Hedd Wyn eisoes wedi dod i amlygrwydd drwy ennill pedair o gadeiriau mewn gwahanol eisteddfodau. Daeth yn ail am y Gadair Genedlaethol yn 1916 ac ychydig cyn ymuno â'r fyddin roedd wedi dechrau cyfansoddi cerdd hir ar y testun 'Yr Arwr' ar gyfer cystadleuaeth

y Gadair yn Eisteddfod Genedlaethol Penbedw 1917.

Roedd Hedd Wyn yn casáu rhyfel a chyfansoddodd gerddi yn darlunio'r gwastraff a'r drygioni a welodd. Yn y ffosydd, treuliodd bob munud sbâr yn gorffen ei gerdd. Llwyddodd, a'i phostio i'r gystadleuaeth. Pan gyhoeddwyd mai Hedd Wyn oedd enillydd y Gadair ym mis Medi 1917, roedd eisoes wedi'i ladd yn y frwydr. Taenwyd clogyn du dros y Gadair a byth ers hynny caiff Hedd Wyn ei adnabod fel 'Bardd y Gadair Ddu'.

Roedd nifer o lanciau eraill o Drawsfynydd wedi'u lladd yn y rhyfel. Ac wrth gwrs, roedd yr un tristwch yn cael ei ailadrodd o bentref i bentref drwy Gymru – a thrwy Ewrop gyfan. Collwyd miliynau o fechgyn dawnus a bu bwlch enfawr wedi colli'r genhedlaeth honno. Yma yng Nghymru, daeth stori Hedd Wyn yn symbol o bob un o'r rheiny y gwastraffwyd eu bywydau yn y rhyfel.

Ar ôl yr Eisteddfod ym Mhenbedw, cludwyd y 'Gadair Ddu' ar y trên i fyny Dyffryn Dyfrdwy a thrwy Gapel Celyn i Drawsfynydd. Gosodwyd hi, ynghyd â chadeiriau eraill Hedd Wyn, yn y parlwr gorau yn ei hen gartref. Deuai pobl i'r Ysgwrn i gydymdeimlo â'r teulu ac i weld y

Gadair. Ar hyd y blynyddoedd, bu mam Hedd Wyn, ac yna meibion i chwaer Hedd Wyn, yn croesawu ymwelwyr o bell ac agos, gan ddangos y cadeiriau ac adrodd y stori. Dyna eu ffordd o ddiolch am fywyd Hedd Wyn.

Bellach mae'r Ysgwrn wedi'i gyflwyno i'r genedl gyda Pharc Cenedlaethol Eryri yn gofalu amdano. Mae dwy ystafell ynddo yn union fel roeddent yng nghyfnod Hedd Wyn. Bydd croeso i ymwelwyr yno, fel y bu erioed. Deil y stori i gael ei hadrodd o hyd.

Cwm Prysor
Dim ond y lleuad borffor
Ar fin y mynydd llwm,
A sŵn hen afon Prysor
Yn canu yn y Cwm.
                    Hedd Wyn

Yr Ysgwrn

Mae drws yr Ysgwrn led y pen
A fflam o dân yn groeso,
Ffon fugail wrth y simnai fawr
A'r lluniau ar y piano
A llais o rywle 'mhell yn ôl
Yn llenwi'r gadair siglo.

Rwy'n clywed enwau'r ffriddoedd hyn,
Y coed, y nant a'r dolydd,
A gwelaf drwy'r ffenestri mân
Fod lleuad ar y mynydd
Ac ar yr aelwyd, y mae gwres
Cymdogion drwy bob tywydd.

Mae eraill yma'n estyn llaw,
Yn gwybod beth yw colli,
Yn ddistaw dan y distiau du
A'r llusern wedi'i thorri,
Cyn troi yn ôl am lwybrau'r cwm
A'i ganu wedi tewi.

Mae'r cloc yn dal i gerdded 'mlaen,
Mae sglein ar gŵyr y derw,
Mae llyfr agored ar y bwrdd,
Mae'r cyfan mewn un enw;
Mae'r gwacter yn fy llenwi i
Ac rwyf yn dal i alw.

Y Tlodi Mawr

Yn ogystal â chostio'n ddrud mewn bywydau, roedd cost ariannol ddychrynllyd i'r Rhyfel Mawr, 1914–18. Nid yw'r ddyled honno erioed wedi'i chlirio – rydym yn dal i dalu'r pris hyd heddiw.

Teimlodd y diwydiannau trymion – glo, dur, tun, llechi, adeiladu llongau a pheiriannau – wasgfa fawr yn y 1920au a'r 1930au. Roedd 44% o ddynion Cymru'n ddi-waith erbyn 1932. Torrwyd cyflogau, bu streicio a chaeodd llawer o'r gweithfeydd. Wedi twf diwydiannol am 150 o flynyddoedd, daeth y 'Dirwasgiad' – cyfnod o ddiweithdra a thlodi mawr, prinder bwyd ac afiechydon a dynion ifanc yn ymfudo i chwilio am gyfle gwell.

Cafodd hyn effaith fawr ar yr iaith Gymraeg yn ogystal. Collwyd cannoedd o filoedd o siaradwyr Cymraeg o Gymru ond yn waeth na dim, dechreuodd teuluoedd godi'u plant i siarad Saesneg, fel eu bod yn rhugl yn yr iaith honno pan dyfent i oedran gorfod gadael Cymru i chwilio am waith.

Yng Nghymru, ardaloedd y glo ym Morgannwg a Mynwy a ddioddefodd waethaf. Rhwng 1921–1940, ymfudodd 430,000 o bobl o Gymru – ac aeth 50,000 o Gwm Rhondda'n unig. Bu cwymp o 40% yn yr hyn yr oedd teuluoedd yn ei wario ar ddillad ac esgidiau. Yn 1928, £1 a thri swllt (15c) yr wythnos o gymorth a gâi dyn di-waith gan y llywodraeth a dau swllt (10c) am bob plentyn nad oedd yn gweithio.

Wedi dros ganrif o rwygo'i chyfoeth o'r ddaear ac o'r creigiau, roedd Cymru'n wlad dlawd iawn.

Gan fod y tlodi mawr yn effeithio ar deuluoedd, roedd mamau a gwragedd Cymru'n dioddef yn enbyd. Mae ysbryd dewr merched Cymru yn amlwg ar hyd y canrifoedd a daeth eto i'r brig yn ystod y Dirwasgiad. Yn Chwefror 1934, arweiniodd carfan o ferched de Cymru Orymdaith Newyn i Lundain i dynnu sylw at ddiffyg gwaith a thlodi. Parhaodd y traddodiad hwn yn ystod streiciau glowyr ac ymgyrchoedd heddwch diwedd yr ugeinfed ganrif – roedd merched Cymru yn amlwg iawn yn y brwydrau hyn hefyd.

Yn rhengoedd y merched

Maen nhw'n anfon y milwyr i'r cymoedd
I ymladd y glowyr,
Maen nhw'n rhes ac yn codi'u pastyne
Yn erbyn eu brodyr . . .
  A ninne sy'n gefen,
  Yn erbyn y drefen
  Yn uchel ein lleisie
  Yn ferched a mame ein gwlad.

Maen nhw'n anfon y siwtie o Lundain
I gaead y pylle,
Maen nhw'n adrodd colofne'r ffigyre
Heb sôn am wynebe . . .
  A ninne sy'n gefen,
  Yn erbyn y drefen
  Yn uchel ein lleisie
  Yn ferched a mame ein gwlad.

Maen nhw'n anfon cegine a chawlie
I fwydo'r newynog,
Maen nhw'n rhannu eu briwsion cysuron
Lle gynt roedd 'na gyflog . . .
  A ninne sy'n gefen,
  Yn erbyn y drefen
  Yn uchel ein lleisie
  Yn ferched a mame ein gwlad.

Maen nhw'n cau yr hen siope a'r storws
A gwag ydi'r orie,
Maen nhw'n gweld yr holl blant llwyd eu gwedd
Ac yn agor y wardie . . .
  A ninne sy'n gefen,
  Yn erbyn y drefen
  Yn uchel ein lleisie
  Yn ferched a mame ein gwlad.

Pysgotwyr Tirdyrys

Roedd Sadwrn, 17 Mehefin 1933 yn ddiwrnod anarferol o derfysglyd a stormus o feddwl ei bod yn ganol haf. Aeth tri brawd o fferm Tirdyrys, Llŷn – John 26 oed, Elis 21 oed a Dic 19 oed – allan i'r môr mewn cwch rhwyfo o Borth Gwidlin ger Llangwnnadl. Y bwriad oedd codi cewyll cimychiaid a chrancod ond er eu bod yn gychwyr profiadol, bu tonnau'r môr yn drech na hwy y diwrnod hwnnw. Boddodd y tri a golchwyd eu cyrff i'r lan ychydig gannoedd o lathenni i ffwrdd ym Mhorth Fesig, o dan dir Trefgraig. Cynhaliwyd yr angladd ar y dydd Mercher canlynol yng nghapel Hebron – a dyna'r angladd mwyaf a welwyd yn Llŷn erioed.

Y tri llanc

Tri llanc, a'r borth yn foriog,
Tri brawd, a'r gwynt yn fywiog,
Yn gwthio'r cwch o'r lan fel un
I gyffro'r dŵr ewynnog,
I godi cewyll o'r dŵr hallt
Dan allt y môr yn Llŷn.

Tri brawd â'r lli yn llawiau
Ers roedden nhw yn llafnau,
Tri llanc â'r tonnau yn gytûn
Wrth dynnu ar eu rhwyfau,
Tri brawd o dir y rhosydd hallt
Ar allt y môr yn Llŷn.

Y llanw'n troi i'r croeswynt
A hwnnw'n codi'n helynt,
Y cwch mewn cafn a'r don fel cŷn
A'r niwl yn cau amdanynt.
A neb wrth law ar alwad hallt
Dan allt y môr yn Llŷn.

Benllanw, caed yr hogiau
Ar gerrig mân y glannau
A'r lloer a'r llanw yn eu llun;
Tri llanc yn ôl o'r tonnau
Yn rhannu bedd, a'r haf yn hallt,
Wrth allt y môr yn Llŷn.

Y Tân yn Llŷn

Ar 26 Ebrill 1937 gollyngodd awyrennau yr Almaen a'r Eidal gannoedd o fomiau ar dref Guernica yng Ngwlad y Basg wrth i arweinwyr y gwledydd hynny estyn cymorth i'r Ffasgydd Franco yn Rhyfel Cartref Sbaen. Tref farchnad, hen ganolfan ddiwylliannol draddodiadol y Basgiaid, yw Guernica. Nid oedd ganddi ddim amddiffynfeydd milwrol a gan ei bod hi'n ddiwrnod marchnad pan ddaeth yr ymosodiad o'r awyr, lladdwyd miloedd o bobl gyffredin a phlant.

Yn ystod y deng mlynedd a ddilynodd – blynyddoedd yr Ail Ryfel Byd – bu sawl 'Guernica' arall ar draws Ewrop – cannoedd ohonynt. Daeth bomio trefi poblog yn arf rhyfel derbyniol a lladdwyd miliynau.

Dri mis cyn dinistrio Guernica yng Ngwlad y Basg, cafodd tri gŵr eu carcharu yn Llundain am eu rhan yn llosgi ysgol fomio yng Nghymru. Tri Chymro oedden nhw – Saunders Lewis, D. J. Williams a Lewis Valentine. Roedd hi'n brotest drawiadol yn erbyn defnyddio tir Cymru i ymarfer ar gyfer y fath ryfela anwaraidd. Yn union ar ôl i lywodraeth Llundain gyhoeddi ei bwriad i sefydlu gwersyll i ymarfer awyrennau bomio ar dir Penyberth, Penrhos ger Pwllheli yn Llŷn, bu ymgyrchu dyfal yn ei erbyn. Llythyrwyd, deisebwyd, trefnwyd cyfarfodydd protest – ond doedd yr awdurdodau ddim yn gwrando. Yn y diwedd, penderfynodd criw bychan o genedlaetholwyr bod yn rhaid llosgi'r gwersyll.

Am hanner nos, nos Lun, 7 Medi 1936, cyfarfu'r tri a garcharwyd â phedwar arall ar groesffordd wledig yn Rhydyclafdy, Llŷn. Am flynyddoedd bu'r pedwar cefnogwr yn ddienw, ond yna datgelwyd bod un arall yno ar y noson hefyd. Merch fferm leol oedd hi, roedd wedi bod yn fyfyrwraig yn y brifysgol ym Mangor a bu'n athrawes Gymraeg yn Llanrwst yn ddiweddarach. Lydia Hughes oedd ei henw, a hi oedd wedi cadw llygad ar y safle ac yn adnabod y llwybrau dros y gefnen i arwain y tanwyr at eu gwaith.

Cân Lydia Hughes

Mae'n oer ar y groesffordd heno
A Medi'n brathu fy moch
A phell ar y gorwel serog
Yw'r ysgol a sŵn ei chloch;
Mae'r awel o Benrhos yn dangos tu min
A dail y drain â'u hymylon yn grin.

Mae cwmni ar groesffordd heno
A gwres yn y galon hon,
Mae chwedlau'n deffro o'r düwch
A geiriau ein beirdd ymhob bron;
Criw bychan sydd yma'n disgwyl am dri
Ond tyrfa'r canrifoedd sydd gyda ni.

Mae gwaith ar y groesffordd heno,
Pawb yma ar ôl disgwyl mor hir,
Y ffaglau a'r petrol yn barod,
Y llwybr dros gefnen yn glir;
Mae meysydd Penyberth o dan fy nhroed
A dacw'r cabanau a'r domen goed.

Gwawr oren uwch croesffordd heno
A'r tân yn ymledu dros wlad,
Mae'r fflamau o hyd yn fy llygaid,
Mae yn eu dinistr barhad;
Dacw eu gwersyll, rwy'n fy nghael fy hun
Yn dilyn ôl troed un o genod Llŷn.

Cyrch Bomio ar Abertawe

Un o'r dinasoedd a ddioddefodd gan ymgyrchoedd bomio yr Ail Ryfel Byd oedd Abertawe. Cafodd ei bomio gyntaf ym Mehefin 1940 ac yna am dridiau ar 19–21 Chwefror 1941. Bryd hynny, roedd gan Abertawe borthladd glo a phurfa olew ond bwriad y bomiau oedd creu'r difrod mwyaf posibl a thorri ysbryd y bobl. Lladdwyd 230 o bobl yn Abertawe a chafodd dros 400 eu hanafu. Gollyngwyd bomiau tân yn ogystal a chododd fflamau drwy ganol y ddinas – fflamau y gellid eu gweld yn goleuo'r nos bedwar ugain milltir i ffwrdd. Difethwyd strydoedd cyfan o adeiladau a chollodd 700 o bobl eu cartrefi. Roedd canol y dref yn wastad â'r llawr – wrth gerdded allan o'r orsaf drenau gellid gweld pentyrrau o rwbel, lle bu swyddfeydd a siopau prysur, hyd at y môr yn y pellter.

Mae cyrchoedd awyr yn dal i ddigwydd mewn rhyfeloedd ledled y byd, a phobl yn ceisio mymryn o loches dan fyrddau neu mewn twll dan grisiau rhag y bomiau hyn sy'n cael eu rheoli o bell.

Nodyn:
Daw'r enw 'Blitz' am y cyrchoedd bomio o'r Almaeneg 'blitzkrieg' – 'rhyfel fellten' neu 'stormryfel'. Yn 2008 creodd yr Americanwr Robert Keim fesur newydd o'r enw 'blitzgerdd' – cerdd heb atalnodau, heb odlau, yn symud yn gyflym ac yn cynnwys cwpledi sy'n ailadrodd yr un gair cyntaf ac yn dolennu gyda gair olaf y llinell flaenorol. Mae'n hanner can llinell o hyd, yn dechrau gydag ymadrodd neu ddywediad ac yn gorffen drwy ailadrodd gair olaf llinell 48 a 47 yn y llinellau olaf. Y teitl yw geiriau cyntaf llinell 3 a 47, gydag arddodiad yn eu cysylltu. Dylech fedru ei ddarllen yn gyflym iawn, gan oedi i gymryd eich gwynt yn unig.

Twll dan stâr
(blitzgerdd)

Holi ac ateb
Holi'n dwll
Twll yn fy stumog
Twll o ofn
Ofn sŵn gwenyn
Ofn sŵn yn dod yn ôl
Yn ôl a chwibanu
Yn ôl a chrynu
Crynu'r cartre'
Crynu dannedd yn glec
Clec yn y stryd agosaf
Clec drws nesa
Nesa peth
Nesa neu ddim
Dim ond tywyllwch
Dim ond llaw
Llaw ar ysgwydd
Llaw'n gwasgu
Gwasgu'r dagrau'n ôl
Gwasgu nerth
Nerth y ffrwydriad
Nerth blaen bys
Bys ar y botwm
Bys rhywun
Rhywun heb wyneb
Rhywun yn y nos
Nos yn fflam
Nos yn sgrechen
Sgrechen seirene

Sgrechen adeilade
Adeilade'n marw
Adeilade'n llwch
Llwch ar fy mhen
Llwch eiliade
Eiliade yn orie
Eiliade cau llyged
Llyged i'w rhwbio
Llyged bore
Bore fory ddaw
Bore'r wylo
Wylo wrth chwilio
Wylo lond y ddinas
Dinas a neb adref
Dinas yn sgerbwd
Sgerbwd tŷ
Sgerbwd stâr
Stâr mewn golau newydd
Stâr yn mynd i unlle
unlle . . .
newydd . . .

Teulu'r Beasleys

Yn Eisteddfod Genedlaethol Bro Morgannwg 2012, un o'r pebyll a gafodd y sylw mwyaf ar y Maes oedd pabell wag. Pabell yn anrhydeddu Trefor ac Eileen Beasley o Langennech, ger Llanelli, oedd hi, a'u brwydr hir yn y 1950au i dderbyn biliau treth lleol yn y Gymraeg gan Gyngor lle'r oedd 90% o'r boblogaeth yn siarad Cymraeg. Roedd gwacter y babell yn dwyn i gof ganlyniad eu protest – gwagiwyd cartref teulu'r Beasleys sawl tro gan fwmbeilïaid am eu bod yn gwrthod talu eu dyledion i'r Cyngor nes cael gwasanaeth Cymraeg.

Gwrthododd teulu'r Beasleys dderbyn yr un esgus nac ildio i'r un bygythiad ac wedi wyth mlynedd o ddadlau eu hachos drwy lythyrau ac achosion llys, cawsant bapur treth cyngor Cymraeg. Heddiw, mae eu safiad yn cael ei ystyried yn arwrol ac fel yr achos cyntaf o dorri cyfraith bwriadol er mwyn sicrhau hawliau swyddogol i siaradwyr Cymraeg.

Athrawes o ardal Hendy-gwyn ar Daf oedd Eileen a glöwr ym Mhwll y Morlais, Llangennech oedd Trefor. Priododd y ddau yn 1951 ac ar ôl cael eu tŷ eu hunain yn 1952,

penderfynodd y ddau wrthod talu'r dreth oni chaent lythyr Cymraeg gan y Cyngor. Bu eu hachos o flaen y llys 16 o weithiau a bu'r bwmbeilïaid yn eu cartref bedair gwaith, gan fynd â'r rhan fwyaf o'u dodrefn oddi yno ar fwy nag un achlysur. Cawsant bapur treth dwyieithog yn 1960. Roedd ganddynt ddau blentyn – Elidyr a Delyth.

Yn 1900 roedd hanner pobl Cymru yn siarad y Gymraeg. Erbyn 1951, dim ond 29% o'r boblogaeth oedd yn ei siarad. Roedd pryder gwirioneddol y byddai'r Gymraeg – un o ieithoedd hynaf Ewrop – yn peidio â bod yn iaith fyw. Ysbrydolodd gweithred teulu'r Beasleys anerchiadau a phrotestiadau lu dros hawliau i'r

siaradwyr Cymraeg, gan gynnwys sefydlu Cymdeithas yr Iaith Gymraeg. Torrwyd llawer o ddeddfau; aeth llawer i garchar; enillwyd sawl buddugoliaeth fach. Ond bellach mae deddf gwlad wedi sicrhau bod y Gymraeg yn iaith swyddogol yng Nghymru.

Y tŷ llawn

Lorri o flaen y tŷ.
Gŵr â het ddu
a dynion cry'
yn cnocio, cnocio.
Papur, gyda stamp arno.
Wedi dod i nôl y piano.

Lle mae dy biano di'n mynd, Delyth fach?
Dim mwy o rwgnach
am ddysgu nodau mwyach.

Maen nhw yn eu hole
ac mae'r drych yn eu breichie.
Anrheg priodas gan berthynas.
Twll ar y wal heb ei gymwynas.

Beth wnei di, Trefor,
cyn cwrdd, cyn pwyllgor,
rhag baw y lofa rhagor?

Cadeirie, y tro yma,
ac yn gwmni iddynt, soffa;
ar y stryd, tyrfa.

Lle'r eisteddi di, Eileen,
ar ddiwedd dy ddiwrnod cyffredin
wedi i'r byd dy drin?

Maen nhw'n cerdded o'r tŷ gyda'r carped!
Mae'r llawr mor galed.
Adlais gwag i'w glywed.

Lle gei di gysur, Elidyr?
Dy dad gyda'i bapur,
dy fam yn sgwennu llythyr,
tithau ar dy fol ar lawr oer yn brysur.

Ac eto trech
oedd ymdrech
un teulu'n Llangennech
na lorri a het ddu,
cyngor, llys a dynion cry'.
Er i'r piano ddiflannu,
pedwarawd Cymraeg sy'n canu
a'r iaith sy'n dodrefnu'r tŷ.

Cadw Llangyndeyrn rhag y dŵr

Bro amaethyddol braf rhwng Cydweli a Chaerfyrddin yw Cwm Gwendraeth Fach. Yn haf 1960, roedd deng mil o wartheg yn pori ar fil o aceri ffrwythlon yno a nifer o hen deuluoedd yn byw ar y ffermydd, y meibion wedi dilyn eu tadau ers sawl cenhedlaeth. Allt y Cadno, Fferm y Llandre, Torcoed Isaf, Panteg, Glanyrynys, Ynysfaes – mae enwau Cymraeg y ffermydd yn canu.

Yna daeth stori ar led bod cyngor tref Abertawe yn ystyried codi argae ar draws y cwm a'i foddi – er mwyn creu cronfa ddŵr i ddiwydiannau gorllewin Morgannwg. Roedd pobl y cwm yn methu â chredu'r peth! Ond roedd y bygythiad yn wir. Roedd Cymru wedi colli llawer o gymoedd i greu cronfeydd dŵr i drefi poblog – Tryweryn, Clywedog, Elan, Claerwen, Efyrnwy. Ai dyna fyddai tynged Cwm Gwendraeth Fach yn ogystal?

Daeth yr ardalwyr ynghyd yn y pentref yng nghanol y cwm – Llangyndeyrn. Penderfynodd pob un ffermwr a phob un o'r pentrefwyr eu bod am greu Pwyllgor Amddiffyn. Ni fyddai gweithwyr Abertawe'n cael hyd yn oed edrych ar y caeau, heb sôn am eu boddi.

Daeth archwilwyr Abertawe mewn landrofer i fesur y tir. Roedd cadwyni a chloeau ar bob giât yn y cwm. Y tu ôl i'r giatiau roedd offer trwm yn cau'r adwy – tractor, byrnwr a chodwr grawn.

Daeth yr archwilwyr yn ôl gyda'r heddlu a hawliau cyfreithiol drwy orchymyn llys yn caniatáu iddynt gael mynediad i'r caeau ac i wneud tyllau i weld lle'r oedd y man gorau iddynt godi argae. Ond ni chawsant ganiatâd pobl Llangyndeyrn i fynd drwy'r clwydi. Lle bynnag yr âi confoi Abertawe – lorïau, landrofers, ceir, craeniau a thyllwyr – yr oedd byddin o bobl leol yn sefyll y tu ôl i glwydi, ac yn gafael yn dynn ynddynt.

Bu'n frwydr hir. Bu'n rhaid cadw gwyliadwriaeth am y confoi am fisoedd. Pan fyddai rhywun o Abertawe yn y cwm, cenid cloch

eglwys Llangyndeyrn i alw'r ardalwyr i sefyll yn y bylchau. Roedd hynafiaid rhai o'r ardalwyr wedi bod yn rhan o derfysgoedd Beca, yn sefyll yn erbyn gormes dros ganrif ynghynt. Efallai fod

hen, hen berthnasau iddynt wedi mynd i'r gad gyda Gwenllïan yn yr un cwm. Yn sicr, roedd ysbryd Beca a Gwenllïan yn fyw iawn yn y fro yn ystod brwydr Llangyndeyrn.

Dangoswyd cymaint o benderfyniad gan bobl y cwm nes i Abertawe ildio yn y diwedd a rhoi'r gorau i'w cynllun i foddi Cwm Gwendraeth Fach.

Mae'n stori arwrol am fro fechan yn herio tre fawr, holl rym y llywodraeth, y gyfraith a'r heddlu – ac yn ennill! Yn 1965 cafwyd cyfarfod mawr arall yn Llangyndeyrn – ond parti dathlu eu buddugoliaeth oedd hwnnw.

Baled Llangyndeyrn

Daethant gyda phapur clerc y dre,
Hwnnw'n dweud yr amser, dweud y lle,
Dweud bod Llundain yn cefnogi'n glir
Gan roi iddynt hawl archwilio'r tir.

Dweud gwahanol sydd gan glo ar glwyd,
Cadwen ddur a chorff y Ffergi Lwyd,
Glanyrynys gyda'i chaeau glas
Sy'n cyhoeddi'n gadarn – 'Cadwch Mas!'

Daethant gyda'r heddlu yr ail dro,
Tynnu capiau'n is wnaeth bois y fro,
Clep i'r iet a chydio yn ei heyrn:
Roed 'run droed ar gaeau Llangyndeyrn.

Dengmil o dda'n pori yn y cwm,
Tiroedd glas o dan fygythiad llwm;
Nid oedd ildio i fod a dyna i gyd:
Ni ddôi'r dŵr i foddi Porth-y-rhyd.

Fferm y Llandre, mab yn dilyn tad;
Torcoed Isaf, parchu trefn y wlad;
Allt y Cadno, canu cloch y llan;
Panteg, Ynysfaes – heb 'run ddolen wan.

Dysgwyd hwy yn blant i barchu'r ddeddf
Ond mae gwarchod tir yn dod drwy reddf;
Daeth hen ŵr i'w tanio'n iaith ei fam;
Rhwystrwyd lorri'r dre gan wraig a phram.

Brwydr Gwendraeth Fach a ddaeth i'w rhan,
Daw i rywle arall yn y man,
Fel Gwenllïan yn wynebu'r teyrn,
Fel 'bu Beca gynt fu Llangyndeyrn.

Milwyr

Mae llawer iawn o ieuenctid Cymru wedi ymuno â'r lluoedd arfog ar hyd y canrifoedd – ac mae'n digwydd o hyd. Mewn rhai trefi yn ein gwlad, prin bod dewis arall gan rai os ydynt eisiau cyflog a gyrfa. Mae rhyfeloedd tramor yn parhau i ddod â cholledion i sawl aelwyd yng Nghymru.

Addasiad o hen gân werin o'r Alban, 'Bonnie George Cambell', yw'r penillion hyn.

Dafydd o Gymru

Â'r dref yn y dyffryn,
Â'r bwrdd wrth y bar,
Ffarwelio wnaeth Dafydd
A bag ar ei war.

Ei lun ar y pentan
Yn gadw-mi-gei,
Ei fedal ddaeth adref
Ond nid felly Dei.

Ei fam yn ei hebrwng
A'i dagrau yn hallt;
Ei wraig yn cofleidio
A'r haul yn ei gwallt.

Mae'r strydoedd yn dawel
A gwag ydi'r stôl
A Dafydd o Gymru
Ni ddaeth yn ei ôl.

Ei gap, a phob botwm,
Yn smart ar y naw,
Y gwrol ryfelwr
A'r gwn yn ei law.

Mae'i lun ar y pentan
Yn gadw-mi-gei,
Ei fedal ddaeth adref
Ond nid felly Dei.

Gobaith Cymru

Sylweddolodd Ifan ab Owen Edwards rywbeth arbennig iawn yn 1922. Sylweddolodd mai gobaith Cymru oedd ei phlant. Sefydlodd Urdd Gobaith Cymru drwy gyfrwng y cylchgrawn *Cymru'r Plant* a chyn diwedd y flwyddyn roedd gan y mudiad newydd 720 o aelodau, a sefydlwyd yr adran gyntaf ym mhentref Treuddyn, sir y Fflint.

Breuddwyd Ifan ab Owen Edwards oedd bod plant yn medru defnyddio'r Gymraeg y tu allan i'r cartref a'r capel. O'r dechrau, roedd pwyslais y mudiad newydd ar gynnal cymdeithas a chreu mwynhad a chael plant i chwarae yn Gymraeg. Erbyn 1927, roedd gan Urdd Gobaith Cymru dros 5,000 o aelodau. Y flwyddyn ddilynol, cynhaliwyd dau wersyll haf i'r plant am y tro cyntaf. Gwelwyd Eisteddfod Genedlaethol yr Urdd am y tro cyntaf yn 1929 a'r Mabolgampau Cenedlaethol cyntaf yn 1932. Dyma sail y mudiad a dyfodd i wneud cyfraniad anferth i fywydau plant a bywiogrwydd y defnydd a wneir o'r Gymraeg.

Nid oedd y fath beth ag addysg Gymraeg yn y dyddiau cynnar hynny ond yn 1939 sefydlodd Ifan ab Owen Edwards a'i wraig ysgol breifat Gymraeg yn Ffordd Llanbadarn, Aberystwyth dan nawdd yr Urdd. Dim ond saith disgybl oedd ynddi pan agorodd, ond roedd 81 disgybl a phedair athrawes yno erbyn 1945. Yn 1952, daeth yr ysgol o dan ofal yr awdurdod addysg lleol, ac ers hynny gwelwyd twf ysgubol mewn ysgolion Cymraeg cynradd ac uwchradd drwy Gymru. Mae 350 o blant yn Ysgol Gymraeg Aberystwyth mewn adeilad newydd ym Mhlascrug bellach. Ac wrth gwrs, mae degau o filoedd o blant yn mynychu ysgolion Cymraeg ym mhob cwr o Gymru.

Y Saith

Mae gennym eu henwau, y saith
Wrth ddesgiau fu'n barod am waith.

Mae'n sicr y cawson nhw gân
A straeon plant mawr a phlant mân,

A gallwn ddyfalu pa fardd
Y paentiwyd ei gerddi yn hardd.

Ond yno y clywsant am ddau
A dau yn Gymraeg, a chyn cau

Roedd map daearyddiaeth y byd
Ar flaenau'u tafodau i gyd,

A hanes y ddaear a gaed
Gan ddechrau dan wadnau eu traed.

Y gamp a gyflawnodd y saith
Oedd agor ffenestri ag iaith.

Nant Gwrtheyrn

Heddiw, mae ffordd darmac newydd yn arwain o'r bwlch i lawr ochr serth y cwm i hen bentref Nant Gwrtheyrn. Mae yno erbyn hyn Ganolfan Iaith ar gyfer dysgwyr Cymraeg, tai moethus i letya ynddyn nhw, caffi, canolfan dreftadaeth a bwyty a neuadd i gynnal pob math o ddigwyddiadau. Mae llwybrau difyr yn arwain at lethrau'r Eifl neu i lawr i'r traeth caregog i fwynhau byd natur yr ardal ac olion diwydiannol yr hen chwareli.

Ond doedd pethau ddim mor hwylus â hyn bob amser yn Nant Gwrtheyrn. Bu pobl yn byw yno ers miloedd o flynyddoedd ond gan ei fod mor anghysbell, roedd bywyd yn galed a'r llwybr o'r cwm am y bwlch yn arw, serth a throellog – y 'Gamffordd' neu'r 'Miga-moga' oedd yr hen enwau arno.

Mae bryngaerau yn yr ardal a daethpwyd o hyd i esgyrn dyn tal iawn mewn twmpath a elwid yn 'Fedd Gwrtheyrn' – yn ôl hen chwedl, ffodd y brenin Gwrtheyrn yma rhag y Sacsoniaid. Daeth Beuno a'r mynaich yma yn Oes y Seintiau; bu'n gwm i fugeiliaid a physgotwyr; mae chwedl Rhys a Meinir yn gysylltiedig â'i hanes; agorwyd chwareli a bu bwrlwm diwydiannol yma am gyfnod a daeth nifer o Wyddelod i weithio yno; yna caeodd y gweithfeydd ac aeth y pentref yn adfeilion.

Ond gwelodd criw o Gymry brwd gyfle i adfer y pentref ac adfer y Gymraeg yr un pryd. Codwyd arian, prynwyd y lle a chreu canolfan i ddysgu'r Gymraeg. Heddiw, mae'n lle byrlymus unwaith eto ac mae'r holl hanes yn perthyn iddo o hyd.

Ar y Miga-moga

Lawr y Miga-moga a niwl y bora'n las
Heibio Cwt y Gwyddal, to brwyn a cherrig cras.

Clogwyn y gorllewin a sgrech y brenin hir;
Fflamau tua'r dwyrain yn dechrau bwyta'r tir.

Ar y Miga-moga a Beuno'n canu'i gloch,
'Dewch at ddŵr ei ffynnon i olchi'ch dwylo coch.'

Maen ar faen a mynaich yn codi tŷ'n y pant
Gan ddyrchafu'u llygaid at fynydd uwch y Nant.

Fyny'r Miga-moga a'r lle yn wag a llwyd
Nes crafodd cwch pysgotwr i'r lan i sychu'i rwyd.

Cylch tymhorau'r tyddyn a'r haul yn gry uwchben,
Pladur, iau a chawell yn crogi ar y pren.

Lawr y Miga-moga gan alw'i henw hi,
Clynnog Fawr yn wag a'r coed yn llawn o'r gri.

Troi cefn ar drin y caeau fesul un a dau,
Cae Pin, Cae Tan yr Hendy, Cae Cefn Sgubor yn gwacáu.

Ar y Miga-moga mae sgidiau trwm y pnawn,
Cynion ar y cerrig a'r grefft yn loyw iawn.

Stemar ola'r chwarel yn gadael Porth y Nant
A Bryniau Wiclo'r machlud yn galw'n ôl eu plant.

Fyny'r Miga-moga yn llawn breuddwydion gwyn:
Gweld y bywyd newydd drwy'r holl adfeilion hyn.

Gweld y freuddwyd honno yn rhoi ail wynt i'r daith:
Agor drws i'r alltud a chodi to i'r iaith.

Diwrnod igam-ogam, dyna'n siwrnai ni
Ar y Miga-moga rhwng y graig a'r lli.

Streic y Glowyr

Yn draddodiadol, bu glowyr Cymru yn amlwg iawn wrth fynnu hawliau tecach gan feistri'r pyllau. Roedd yn waith peryglus ac mae rhestr hir o drychinebau i'r diwydiant yng Nghymru. Dioddefodd miloedd o lowyr anafiadau difrifol a byddai clefydau'n codi o effaith y llwch dan ddaear.

Dadleuai'r glowyr dros well cyflogau gan eu bod yn wynebu'r fath beryglon a hefyd mynnent iawndal i deuluoedd y rhai a ddioddefodd gan afiechydon diwydiannol ac effeithiau'r damweiniau. Gan fod angen glo i greu ynni a gwres ar bron bob tŷ a diwydiant, roedd streic gan y glowyr yn effeithio ar y wlad gyfan ac roedd undebau'r glowyr yn medru herio llywodraethau Llundain hyd yn oed.

Yn eu tro, oherwydd pwysigrwydd y diwydiant ac oherwydd y galw mawr am lo, roedd y llywodraeth yn aml yn fodlon defnyddio dulliau treisgar i dorri streiciau'r glowyr. Anfonwyd milwyr a heddluoedd arfog ar fwy nag un achlysur yn erbyn glowyr de Cymru.

Yn 1984, roedd llywodraeth Margaret Thatcher wedi cyhoeddi ei bod am 'foderneiddio'r' diwydiant glo ym Mhrydain. Golygai hynny gau llawer o byllau glo a diswyddo miloedd o lowyr. Dadleuai'r glowyr eu bod eisiau lle wrth y bwrdd i drafod dyfodol eu diwydiant, gan eu bod yn adnabod a deall y pyllau. Aeth Undeb Cenedlaethol y Glowyr a llywodraeth Llundain benben â'i gilydd. Bu streic o Fawrth 1984 hyd Fawrth 1985, a thros y flwyddyn honno bu nifer o sgarmesau gwaedlyd rhwng glowyr yn picedu a rhengoedd o'r heddlu oedd wedi'u gyrru yno i'w hatal.

Ar y cyfan roedd glowyr Cymru yn gadarn o blaid y streic. Streic dros waith a dyfodol i'r pentrefi a'r cymoedd oedd hon: streic i achub cymunedau. Cefnogwyd y streicwyr gan wragedd, mamau a merched y glowyr a thrwy Gymru gwelwyd broydd eraill yn codi arian a chasglu bwyd ar gyfer y teuluoedd oedd ar streic.

Tyfodd i fod yn frwydr genedlaethol yma yng Nghymru – dros hawl y wlad i reoli ei heconomi ei hun yn hytrach na gorfod dilyn penderfyniadau caled gan lywodraeth Llundain. Mae llawer yn credu mai un o ganlyniadau Streic y Glowyr oedd bod

Cymru wedi pleidleisio dros gael ei Senedd ei hun yn 1997.

Mynd yn ôl i'r gwaith heb ennill dim fu hanes y glowyr ym Mawrth 1985. Caeodd y Bwrdd Glo ddegau o byllau yng Nghymru a chollodd 20,000 o lowyr eu gwaith yn y blynyddoedd a ddilynodd hynny. Bu diweithdra a thlodi enbyd yn y cymoedd a oedd wedi gweld oes aur y diwydiant.

Ond aeth y glowyr yn ôl i'w glofeydd ar 7 Mawrth 1985 y tu ôl i fandiau pres a baneri lliwgar. Y geiriau ar un o'r baneri oedd: 'Dyma'r diwedd. Diwedd y dechreuad.' Un ar bymtheg oed oedd y gwleidydd Adam Price ar y pryd. Roedd ei dad yn löwr ar streic ym mhwll y Betws yn Nyffryn Aman. Cafodd y bachgen ei ysbrydoli gan egni penderfynol y streicwyr i barhau â'r ymdrech dros well dyfodol i Gymru gyfan.

Enghraifft o'r penderfyniad newydd oedd yr hyn ddigwyddodd yn y pwll dwfn olaf yng Nghymru – Glofa'r Tŵr, Hirwaun. Caewyd Glofa'r Tŵr gan 'British Coal', perchnogion y pwll, yn 1994 gan ddadlau ei fod yn aneconomaidd. Defnyddiodd 239 o'r glowyr £8,000 yr un o'u taliadau diswyddo i brynu'r lofa am £2 filiwn. Ailagorwyd y pwll yn Ionawr 1995 a bu'n brif gyflogwr yn yr ardal nes i'r glo ddod i ben yn 2008. Mae'r stori yn parhau'n deyrnged i weledigaeth y glowyr ei bod hi'n amser inni reoli economi ein gwlad ein hunain.

Diwedd y Dechreuad

Dyma'r diwedd
ar ddechreuad newydd
a dechrau'r diwedd
ar drefn y dydd;
diwedd rhannu
ymysg ein gilydd,
dechrau'r camau
at fod yn rhydd.

Dyma'r diwedd
ar Bwll y Betws,
ond dechrau eto
sydd wrth y drws;
diwedd dyddiau
Gwlad y Wyrcws,
dechrau fory
fy mhlant bach tlws.

Dyma'r diwedd
ar wado'r gweithiwr,
dechrau'r golau
o ben y Tŵr;
diwedd llaw y llywodraethwr,
dechrau dringfa
fel un gŵr.

Diwedd darfod,
dechrau'r cynnydd;
dechrau credu'r hyn a fydd;
diwedd cymoedd o fynwentydd,
dechrau'r cerdded
at fywyd rhydd.

Stadiwm i'r Mileniwm newydd

Mae rygbi yn gêm genedlaethol yng Nghymru, gyda thîm y crysau cochion wedi cyflawni campau anhygoel yn y gorffennol. Yn 1999, agorwyd stadiwm newydd ar lan afon Taf yng nghanol Caerdydd – a bellach mae'n cael ei chyfri'n un o feysydd gorau'r byd. Mae'n anarferol iawn cael stadiwm sy'n dal 74,500 o bobl reit yng nghanol prifddinas brysur, ac wrth gwrs, mae'r awyrgylch yn wych yno, yn enwedig pan mae'r to wedi'i gau.

Ers agor y stadiwm, mae'r lle a'r cefnogwyr wedi ysbrydoli tîm cenedlaethol Cymru i gipio sawl buddugoliaeth gofiadwy. Mae'r rhain yn cynnwys curo De Affrica am y tro cyntaf erioed (1999); tair Camp Lawn (2005, 2008, 2012); pencampwyr Ewrop (2013) a sawl cais cofiadwy i chwaraewyr cyffrous fel Shane Williams, George North a Jamie Roberts.

Cymru 30–3 Lloegr
(Stadiwm y Mileniwm, Caerdydd, 2013)

Roedd 'Hen Wlad fy Nhadau' 'n atseinio'n llawn stêm
A'r to bron â chodi cyn cic gynta'r gêm,
Y gwrol ryfelwyr, pob calon yn ddrwm
A'r dreigiau'n yr awyr yn goch ym mhob cwm.

Tîm Lloegr islaw, fel eu crysau yn wyn,
Yn methu dygymod â chroeso fel hyn;
Roedd rhai wedi honni mai nhw piau'r pnawn,
Y gêm, Coron Driphlyg a chlamp o Gamp Lawn.

Eu blaenwyr mor wych a'u canolwyr mor gry' –
Roedd dathliad yn siŵr gyda'r ceisiau yn llu,
Roedd angen i Gymru eu trechu o saith
I fod yn bencampwyr – dim peryg, ychwaith.

Pob sgrym yr oedd Adam fel mynydd ar dân,
Pob pêl yn yr awyr – pob daliad yn lân,
Pob rhuthr a loriwyd gan gewri'n tîm ni,
Pob cic o droed Halfpenny drosodd am dri.

Ni pheidiodd y dyrfa â chwyddo ei llais,
Ni pheidiodd y llithriad yng nghynllun y Sais,
Ym mhob gwedd o'r gêm roedd y Cymry yn ben:
Naw–Tri hanner amser – roedd bron yn Amen!

Ond yna ail hanner na welwyd mo'i fath,
Y bêl yn chwyrlïo o hanner can llath,
Y dwylo yn fedrus, traed sydyn bob tro,
A Cuthbert yn croesi – dau gais fydd ar go'.

Roedd Hen Wlad fy Nhadau yn dangos ei dawn,
Roedd coch ar y cwpan ar ddiwedd y pnawn
A'r gwynion a gredai'r enillent mor braf
A gawsai'r gweir fwyaf erioed ar lan Taf.

Ein Senedd ein hunain

Yn 1997, bron chwe chan mlynedd ar ôl i Owain Glyndŵr gynnal ei seneddau, pleidleisiodd Cymru dros gael grym i'w rheoli ei hun. Sefydlwyd senedd-dy yn y Bae yng Nghaerdydd; agorwyd adeilad newydd yn 2006 a phleidleisiwyd gyda mwyafrif anferth i gael mwy o nerth i'r Senedd yn 2011.

Roedd hyn yn garreg filltir bwysig ar daith faith y Cymry i sefydlu gwlad gyflawn iddyn nhw'u hunain. Bellach mae yma Lyfrgell Genedlaethol, Amgueddfa Genedlaethol, Prifysgolion, Eglwys a Chapeli Annibynnol, Prifddinas, Opera a Theatr Genedlaethol – ac efallai'n fwy pwysig na dim, ailsefydlwyd y Gymraeg yn iaith swyddogol yng Nghymru unwaith eto. Mae hen freuddwyd Glyndŵr wrthi'n cael ei gwireddu.

Yn ystod yr unfed ganrif ar hugain bydd ein gwlad yn adeiladu ar hyn i gyd, yn cymryd mwy a mwy o gyfrifoldeb am ei materion ei hun a meithrin llais annibynnol yng nghymdeithas gwledydd y byd. Mae'r gwledydd mawr wedi creu digon o lanast yn yr ugeinfed ganrif – efallai mai canrif y gwledydd bychain fydd hon.

Ymysg y cyfreithiau a basiwyd ym mlynyddoedd cynnar y senedd newydd yr oedd rhai'n rhoi iawndal i weddwon chwarelwyr, yn cyfyngu ar y bagiau plastig, yn gwahardd smygu mewn adeiladau cyhoeddus, yn rhoi cryfder newydd i'r iaith Gymraeg ac yn ei gwneud hi'n haws trosglwyddo organau'r meirwon i wella cleifion.

Mae hefyd yn ein cynorthwyo i edrych yn ôl ar ein hanes, cofio troeon y daith a chamu ymlaen yn hyderus i'r dyfodol.

Gwelwn wlad newydd

'Gwelwn wlad newydd,' meddai'r plant,
'Gwlad hŷn na memrwn Glyndŵr,
Na fydd yr hedydd yn cilio ohoni,
Na'i chymoedd o dan ddŵr.

'Gwelwn wlad newydd, heb un clawdd
Yn ei chadw ar wahân,
Gwlad nad yw eto'n plygu i Gesar
Ac eto'n cofio'r tân.

'Gwelwn wlad newydd, heb y mwg
Fu'n gwasgu ar ei gwynt,
Heb y cywilydd, y clo a'r carchar
A oedd i'w geiriau gynt.

'Gwelwn wlad newydd, heb giât na tholl
Yn rhwystr ar gynnyrch bro,
Yfory'n galw'i henw drwy'r byd
A'i hanes i gyd yn y co'.

'Gwelwn wlad newydd,' meddai'r plant,
'Yn glai yn ein dwylo ni:
Ein bysedd prysur yn ei mwytho
A'n dawn yn ei llunio hi.'

Perthyn i hanes

Nid straeon sy'n perthyn i amser maith yn ôl ydi hanes Cymru – maen nhw'n rhan o'n stori ninnau a stori'r plant fydd yng Nghymru yn y dyfodol. Pan glywn ni am y Celtiaid a'r Brythoniaid; am farchogion Arthur a milwyr Owain Glyndŵr; am Ferched Beca a phlant y Welsh Not – rhaid inni gofio mai 'ni' oedd y rhain i gyd. Wrth glywed yr hanes, ar stori neu ar gân, rydan ni'n teimlo'r un fath â nhw. Dyna pryd y byddwn ni'n gwybod o ble'r ydan ni wedi dod a pha lwybr i'w gymryd ymlaen i'r dyfodol.

Dewin geiriau oedd yn llwyddo i gael ei ddarllenwyr i 'deimlo' gwerth ei stori oedd T. Llew Jones, y dathlwyd canmlwyddiant ei eni yn 2015. Roeddwn i'n gwirioni ar ei lyfrau yn hogyn; rydw i'n dal i'w mwynhau nhw ac yn dal i deimlo'r wefr o berthyn i'r cymeriadau. Drwy ddawn storïwyr fel T. Llew Jones, mae cenedlaethau o blant Cymru wedi teimlo eu bod yn rhan o hanes y wlad.

Rwy'n rhan o hanes Cymru
(wrth ddarllen llyfrau T. Llew Jones)

Rwyf ar y ffordd beryglus,
Ymhell o dân a thŷ,
Yng nghwmni'r clogyn tywyll,
Y nos a'r gaseg ddu;
Mae lladron yn fy nilyn,
Ymladdwyr ffair a phorthmyn
Ac nid yw'r sêr yn gry.'

Rwy'n clywed gwaedd y capten
A'r hwyliau i gyd ar daen,
Mae trysor y môr-ladron
Yn groes ar fap o 'mlaen;
Rwy'n gweld y wên yn llydan
Ar wyneb Harri Morgan
Drwy greithiau llafnau Sbaen.

Rwy'n sefyll gyda'r Gwylliaid
Wrth dynnu'r bwa saeth,
Dialedd lond yr awyr
A'r Barwn yma'n gaeth;
Ein brodyr ifanc heno
Yw'r gwaed sydd ar ei ddwylo
A'i ddiwedd yntau ddaeth.

Rwy'n gwisgo pais fy modryb
A pharddu ar fy moch:
Mae corn y Beca'n galw
A lleisiau'r ddrama'n groch;
Ni fydd un tollborth eto
Na giât ar ffordd Llandeilo,
Mae'r wawr yn torri'n goch.

Rwy'n rhan o hanes Cymru
A'i straeon tanllyd hi,
Yr anturiaethau enbyd
A'n harwyr mentrus ni;
Mae cyffro chwedlau'r werin,
A dawn a dweud y dewin
Yn llenwi 'mreuddwyd i.

Llwybrau Cymru

Cymru yw'r wlad gyntaf yn y byd i fod â llwybr cyhoeddus bob cam o amgylch ei harfordir. Agorodd hwnnw yn 2012, gan gynnig 870 milltir o olygfeydd a phrofiadau ysblennydd. Mae'r ddau ben yn cael eu cysylltu â llwybr hir arall – Llwybr Clawdd Offa – ar hyd y ffin ddwyreiniol. Dyna gyfanswm o 1,030 o filltiroedd o lwybrau o amgylch y wlad gyfan.

Yn ogystal â chysylltu clogwyni dramatig a chymoedd unig, pentrefi bach glan môr a threfni marchnad prysur, mae'r llwybrau hyn yn gweu drwy holl gyfnodau hanes Cymru. Cerddwch o amgylch Cymru, a bydd ei stori'n dod yn fyw i chi!

Cerdded Cymru

O ogofâu Porth Einon i'r Maen ym mhen draw Llŷn,
O aber afon Llwchwr i lygad afon Clun,

O goedwig Cantre'r Gwaelod yn nhywod Ynys-las
I olion Caer Arianrhod pan fydd y môr yn fas,

O amgueddfa Nefyn i gastell Penarlâg,
O dyrfa ffair y Barri i'r pier chwarel gwag,

O harbwr fferi Wdig i'r borth a chwch y Swnt,
O glychau pentref Gresffordd i eglwys fechan Mwnt,

O dywod aur Cefn Sidan i greigiau Carreg Llam,
O gewyll y Ceinewydd i Berffro'r cloddiau cam,

O eglwys bren y porthladd i ffynnon Capel Non,
O Afon-wen i Hafren, mae llwybrau'r Gymru hon:

Rwy'n dilyn llwybrau Cymru, fy nghamau'n teimlo'i thir,
Rwy'n cerdded drwy'i chanrifoedd a gweld ei stori'n glir.

Argraffiad cyntaf: 2014

ⓗ testun: Myrddin ap Dafydd

ⓗ lluniau: Dorry Spikes

Cyhoeddwr: Gwasg Carreg Gwlch

Rhif rhyngwladol: 978-1-84527-516-7

Mae'r cyhoeddwyr yn cydnabod cefnogaeth ariannol
Cyngor Llyfrau Cymru

Llun clawr a lluniau tu mewn: Dorry Spikes
Cynllun clawr a dylunio: Eleri Owen

Cyhoeddwyd ac argraffwyd gan Wasg Carreg Gwalch,
12 Iard yr Orsaf, Llanrwst, Conwy, LL26 0EH.
Ffôn: 01492 642031 Ffacs: 01492 641502
e-bost: llyfrau@carreg-gwalch.com
lle ar y we: www.carreg-gwalch.com